给孩子的自然图鉴

植物图鉴

[韩] 沈兆媛 著 [韩] 金是荣 等 绘 孔祥英 王伟锋 译

中信出版集团 | 北京

图书在版编目（CIP）数据

给孩子的自然图鉴．植物图鉴 /（韩）沈兆媛著；（韩）金是荣等绘；孔祥英，王伟锋译．-- 北京：中信出版社，2017.10（2023.10 重印）
ISBN 978-7-5086-7056-0

I. ①给… II. ①沈… ②金… ③孔… ④王… Ⅲ．①自然科学－少儿读物②植物－少儿读物 Ⅳ．① N49 ② Q94-49

中国版本图书馆 CIP 数据核字（2017）第 016177 号

给孩子的自然图鉴．植物图鉴

著　　者：[韩] 沈兆媛
绘　　者：[韩] 金是荣 等
译　　者：孔祥英　王伟锋
出版发行：中信出版集团股份有限公司
（北京市朝阳区东三环北路 27 号嘉铭中心　邮编　100020）
承 印 者：北京利丰雅高长城印刷有限公司

开　　本：889mm × 1194mm　1/16　　印　　张：11.75　　字　　数：92 千字
版　　次：2017 年 10 月第 1 版　　印　　次：2023 年 10 月第 20 次印刷
京权图字：01-2012-7970　　广告经营许可证：京朝工商广字第 8087 号
书　　号：ISBN 978-7-5086-7056-0
定　　价：90.00 元

策划编辑：王菲菲　李欢欢　　责任编辑：刘　莲　平玉梅　黄盼盼　温　烜　　营销编辑：单云龙　谢　沐
装帧设计：哈 _ 哈　　责任印制：刘新蓉

服务热线：400-600-8099
投稿邮箱：author@citicpub.com

给孩子的自然图鉴

植物图鉴

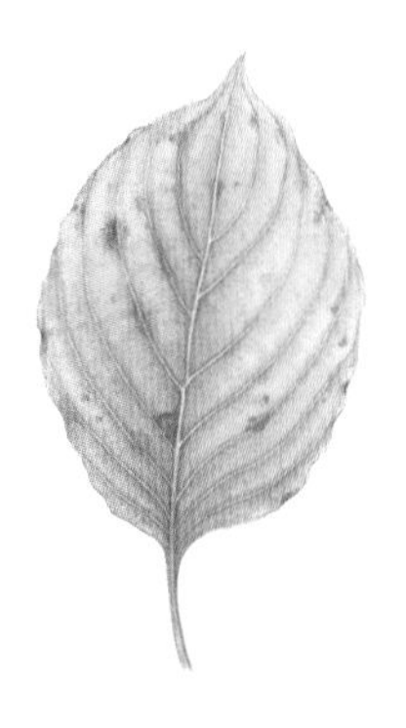

文

沈兆媛　儿童图书作者、编辑。代表作品有《植物图鉴》《动物图鉴》《昆虫图鉴》《树木图鉴》及“小小博物学家”系列科普书籍。

图　　本书中的细密画取自“小小博物学家”系列前4辑，已获绘者授权。

金是荣　以绘制农田里可食用的植物为主，主要通过在韩国京畿道一带的农田观察而绘制。

金惠敬　以绘制水草为主，主要通过在韩国涟川郡的江边和农田观察而绘制。

朴信映　绘制野花，观察路边或是草地上的野花，并将其细腻地绘制出来。

孙庆姬　绘制水果和树木。在韩国忠清北道忠州的果树园里观察水果，在月岳山和鸡鸣山观察树木，并将其绘制出来。

李在恩　绘制蔬菜和花。蔬菜通过观察在韩国江原道洪川的宅边田地和集市绘制而成，花则是通过观察村子或小区的花圃绘制而成。

全普唎　绘制植物园里生长的植物。曾在济州如美地植物园、首尔昆虫植物园等多个植物园写生。个别未能找到的植物，通过查找资料绘制而成。

审校

金振石　韩国国立生物资源馆植物资源科研究员。

朴石根　韩国建国大学生命环境科学学院分子生命工学系教授，韩国植物园研究所所长。

朴秀贤　韩国国立树木园山林生物调查科聘用研究员。

李昌淑　韩国植物分类学会理事，前梨花女子大学教授。

中文审校

王钧杰　中国科学院植物研究所生态学硕士、分类学在读博士，主要研究苔藓植物，熟悉北方植物，擅长野外植物鉴定和自然摄影。

译

孔祥英　童书译者，北京语言大学亚非语言文学专业硕士，译有《我家门外的自然课》《奇境猫王》等图书。

王伟锋　北京语言大学亚非语言文学专业硕士，曾任图书编辑，现在韩国大使馆工作。译有《我家门外的自然课》等图书。

凡例

1. 本书共收录以常见植物为主的植物320种。
2. 本书依照木本植物、草本植物、苔藓和蕨类植物的顺序编写。
3. 木本、苔藓、蕨类植物的分类按照门–纲–科划分，草本植物按照纲–目–科划分。
4. 植物中文名称参考《中国植物志》和中国自然标本馆网站。
5. 植物英文名称以原版书英文名称为准（个别植物没有通用的英文名称），个别与中国植物学界认知不符的参考维基百科作了修改。
6. 大部分植物标注了其花期、果期、高度等。个别植物因地域差异较大而没有标注。

体例

分类

植物依照其外形特征、结构、繁殖方式等分类。植物分类中最基础的单位是种，之后按照属 < 科 < 目 < 纲 < 门 < 界，等级逐层提高。以迎红杜鹃为例，等级划分如下：植物界 > 被子植物门 > 双子叶植物纲 > 杜鹃花目 > 杜鹃花科 > 杜鹃花属 > 迎红杜鹃。

中文名称

双子叶植物纲　牻牛儿苗目　酢(cù)浆草科

酢浆草　生长在草地或野地上的多年生草本植物。将叶子放入口中嚼一嚼，有酸酸的味道。长长的叶柄顶端有三枚心形的小叶相对生长。晚上，叶子向下闭合，仿佛在睡觉一样。从春天到秋天，酢浆草都会盛开金黄色的花朵。结出的果实小小的，样子很像烛台。轻轻碰一下成熟的果实，种子会弹向四方。酢浆草也被叫作“酸咪咪”“三叶酸”。

10 ~ 30厘米　2 ~ 11月　2 ~ 11月

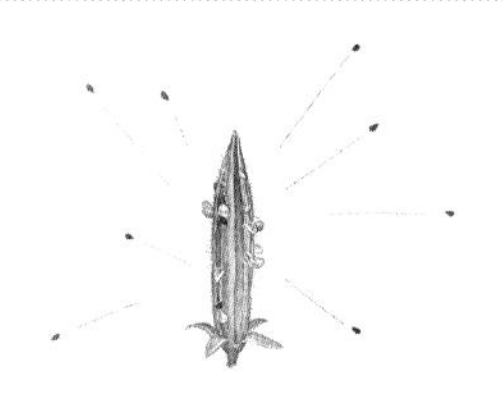

轻轻碰一下酢浆草的果实，小小的种子便会弹向四方。

细密画画家直接观察植物，并绘制成图画。由专家审校，突出植物特征。

酢浆草 Yellow Oxalis

水金凤 Western Touch-me-not

无患子目　凤仙花科

水金凤　生长在背阴溪谷周围的一年生草本植物。夏末，盛开像金鱼一样的黄色花朵。花瓣后侧延长成内弯的距，与野凤仙花相比，植株本身较脆弱，也并不常见。轻轻触碰成熟的果实，种子便会弹出，因此它的英文名的意思正是“别碰我”。　60厘米　8 ~ 9月　9月

中文名称和英文名称

植物的高度 开花的时期 结果时期

注解符号

树高 🌳
草高
藤长
花期
果期

野凤仙花 生长在背阴溪谷周围的一年生草本植物。夏末，盛开酷似凤仙花的紫色花朵。花瓣后侧延伸成向里翻卷的弯距。茎很粗，看起来像树一样。

40 ~ 80厘米 8 ~ 9月 9月

章节

页码

凤仙花 种植在花田中的一年生草本植物，因为它的花瓣和叶子可以将指甲染成红色，也被称为“指甲花”。茎底部呈红色，很结实，叶子像柳叶。春季播种，从初夏到秋天都会开花，有红、紫、白等颜色。果实成熟后，随着荚果果皮变干收缩，种子会弹向四方。 60厘米 6 ~ 9月 8 ~ 9月

凤仙花的果实成熟后，荚果变干，受到外力就会裂开。

植物特征

目录

木本植物

草本植物

苔藓植物和蕨类植物

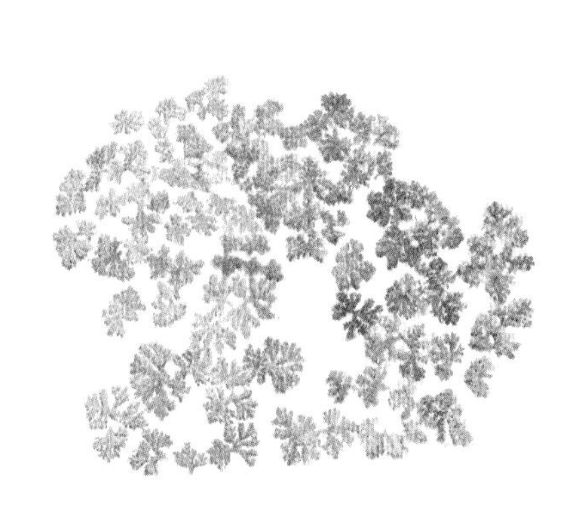

植物的世界

常见的肉眼可见的生物包括动物、真菌和植物。
植物可以被粗略分为草本植物和木本植物。
绿色植物可以在叶绿体中生产养分，自给自足。
这点与捕食其他生命体维持生命的动物不同。
而且与动物不同，植物通常不能移动。
植物包括绿藻、苔藓植物、蕨类植物、种子植物等。

植物界

绿藻

绿色水生植物，大部分生长在淡水中，也有部分生长在海里，如刺松藻。
全世界约有 3 万种。

苔藓植物

地钱、睫毛苔等植物。
地球上除沙漠、海洋外，其他地方均有生长。
约有 2.3 万种。

蕨类植物

不开花结果，靠孢子繁殖。
约有 1.05 万种。

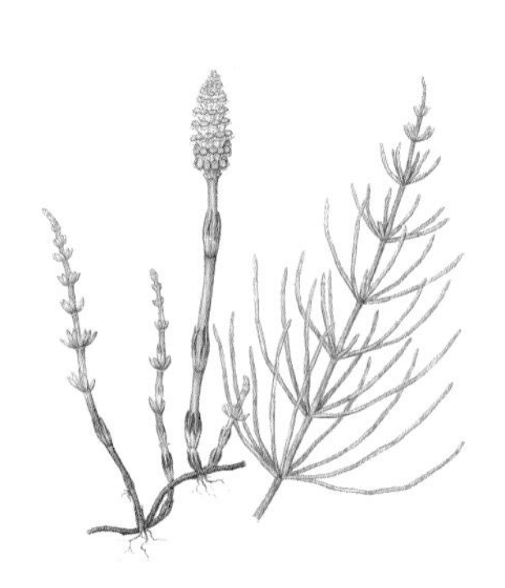

种子植物中，种子裸露在外的植物。
胚珠并未被包裹在子房内，而是裸露在外。
花粉直接进入胚珠进行受精。
裸子植物又被称为“球果植物”。裸子植物大部分是树木，如苏铁、银杏、松树等。

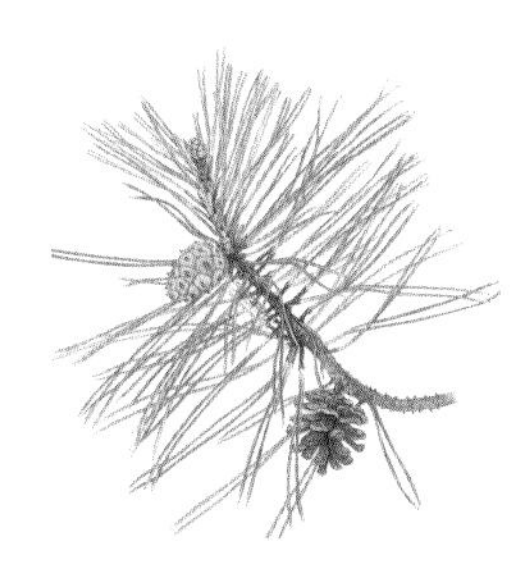

裸子植物

被子植物

种子植物中，胚珠包裹在子房中的植物。
被子植物占植物总数的 90%。传统上这类植物可以按照子叶的数量，分为单子叶植物和双子叶植物。
因花裸露在外，被子植物又被称为“显花植物”。

单子叶植物纲

单子叶植物的子叶只有一片。一般茎较细，叶子窄长，多为平行叶脉，根通常由许多粗细较为均匀的须状根组成。稻子、大麦、鸢尾均属此类。

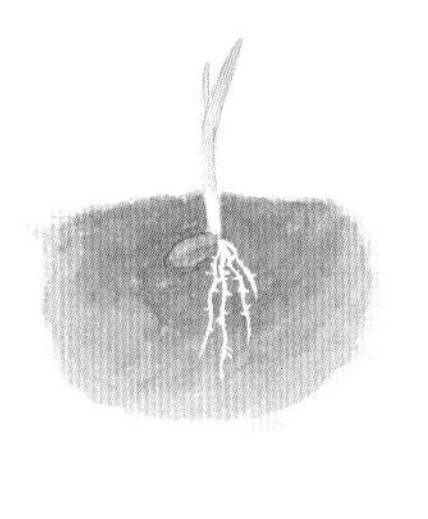

双子叶植物纲

双子叶植物的子叶有两片。通常是网状叶脉，根系分主根和侧根。

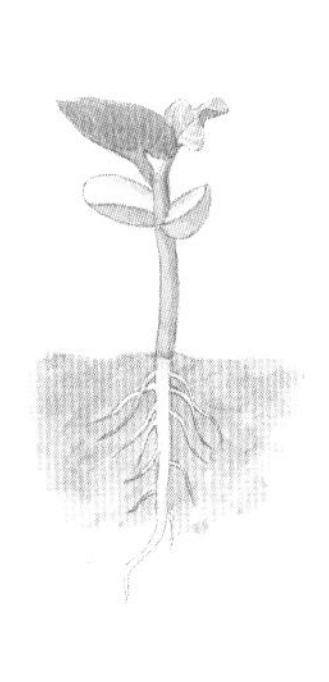
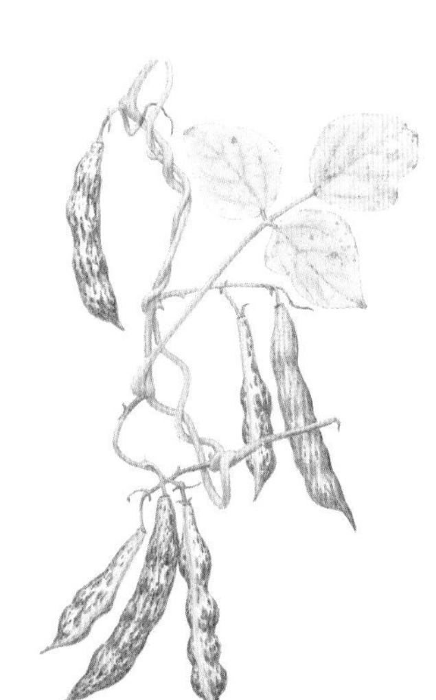

种子植物

能够结出种子并通过种子繁殖的植物被称为种子植物。世界上约有 25 万种。种子植物又分为裸子植物和被子植物。

植物的结构

植物一般由根、茎、叶、花、果实、种子等构成。根是植物扎在地下的部分，吸收土里的水分和矿物质；茎是植物运输水分和养分的通道；叶子吸收阳光，制造养分；花承担植物繁殖的任务，有一些植物的花分为雄花和雌花。

单子叶植物的根系　双子叶植物的根系

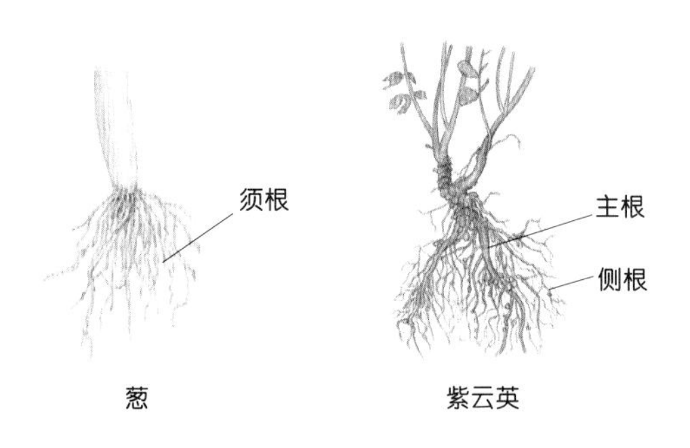

葱　紫云英

根　植物深扎在地下的部分，起到支撑植物的作用，从土中吸收水分和矿物质，输送到叶子。双子叶植物的根系分为主根和侧根，主根粗壮，侧根纤细；单子叶植物的根系多为纤细的须根。

玉米茎末端的根扎到土里起固定作用；槲寄生的根扎入其他树木的树干里；红薯和胡萝卜的根为了储存养分而变得粗壮；为了不被水浪卷走，生长在水中的浮萍和凤眼莲长出坠子般的根来保持平衡。

各种根

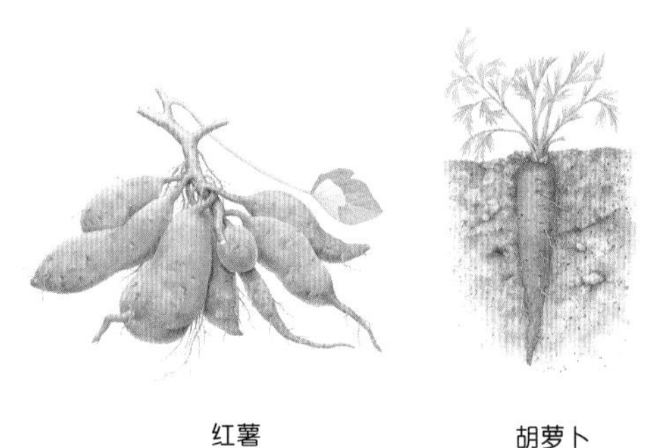
红薯　胡萝卜

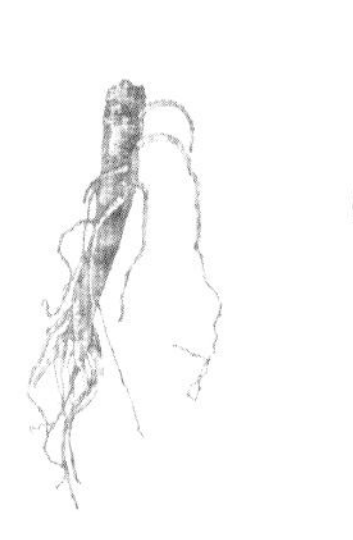
羊乳

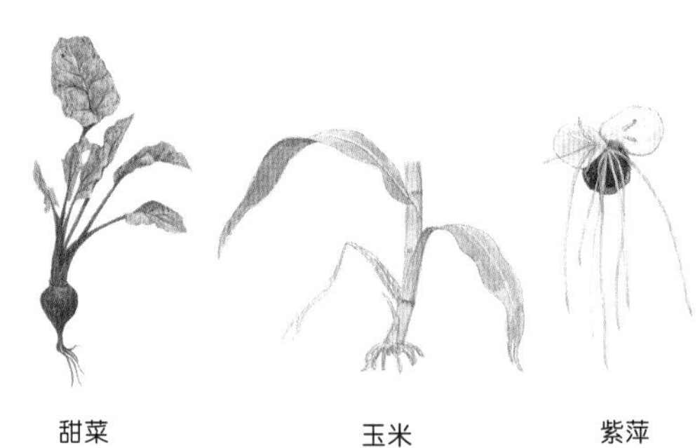
甜菜　玉米　紫萍

叶　绿色植物的养分工厂。制造养分所需的原料有光、二氧化碳和水。光来自太阳，二氧化碳来自空气，叶子透过细微的气孔吸收二氧化碳，水则是通过扎在土里的根被输送到叶子。叶子里有种被称为叶绿素的色素。叶绿素集中于叶绿体，在叶绿体中植物利用光将水和二氧化碳转化成糖分和氧气，这个过程叫作“光合作用”。糖分通过筛管被输送到植物体内的各个角落，促进植物生长。产出的氧气透过叶子上的小孔，排到空气中，为其他生命体所用。

一个叶柄上只生一枚叶片的，叫作“单叶”；一个叶柄上生有多枚小叶的，叫作“复叶”。树木的叶子可以分为针叶和阔叶两种。针叶树的叶子如绣花针一般尖细，阔叶树木的叶子较为宽大。

各种叶子

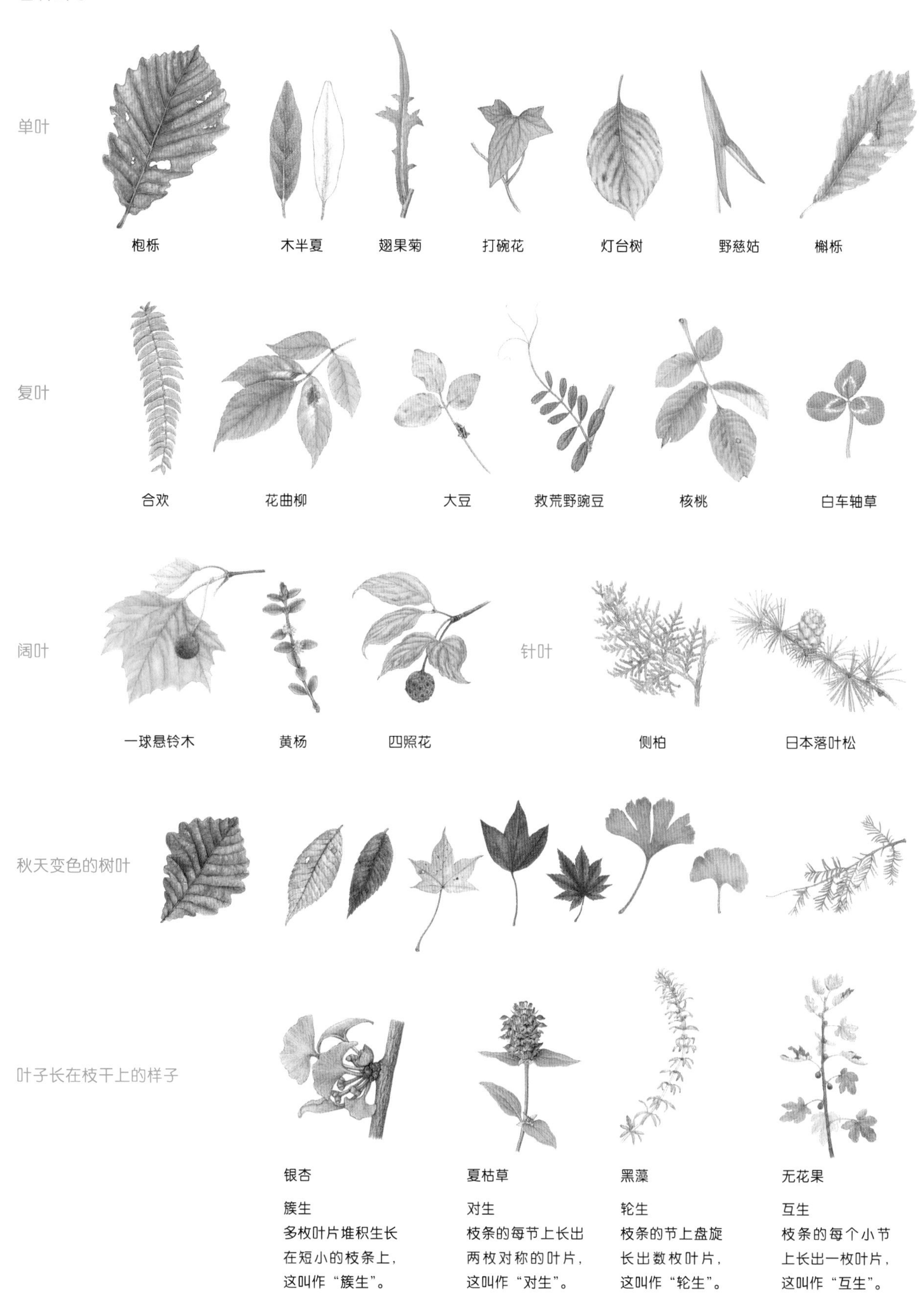

簇生
多枚叶片堆积生长在短小的枝条上，这叫作“簇生”。

对生
枝条的每节上长出两枚对称的叶片，这叫作“对生”。

轮生
枝条的节上盘旋长出数枚叶片，这叫作“轮生”。

互生
枝条的每个小节上长出一枚叶片，这叫作“互生”。

茎 茎起到支撑植物、连接根和叶的作用。茎将根吸收的水分和养分运送到叶片，将叶片生产的养分输送到植物体的各个部位，同时也会储存养分和水分。马铃薯的块茎、洋葱的鳞茎、芋头的块茎都因储存养分而变得粗壮，仙人掌的茎则多储存水分。

各种植物的茎

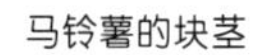

马铃薯的块茎

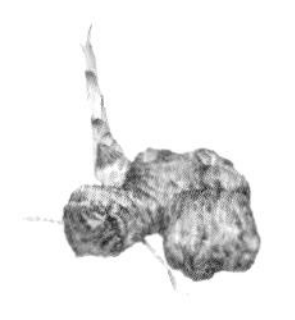

生姜的块茎

洋葱的鳞茎

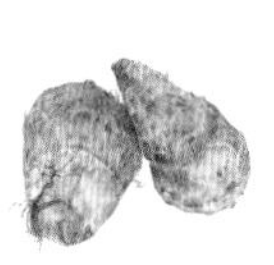

芋头的块茎

仙人掌像叶片一样宽大的茎

黎的直立茎

黄瓜靠卷须攀爬的缠绕茎

圆叶牵牛的缠绕茎

野大豆的缠绕茎

草莓的匍匐茎

白车轴草的匍匐茎

马唐的匍匐茎

树木的茎

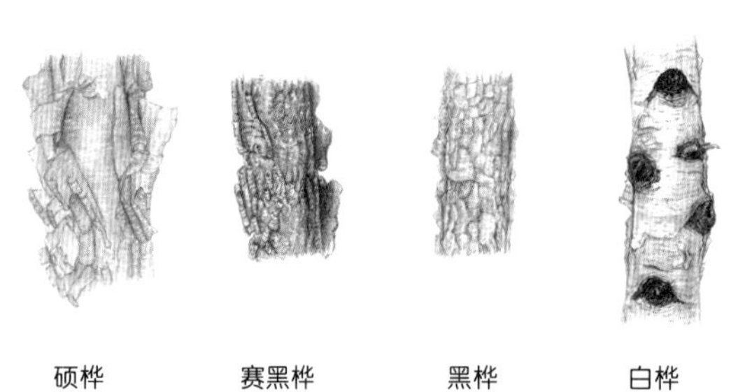

硕桦　赛黑桦　黑桦　白桦

树干和枝条最外层的皮被称为“树皮”。树皮由植物的死细胞构成，结实而富有韧性。树皮可以防止水分流失，对树木有保护作用，其作用与保护我们身体的皮肤相同。老树皮会开裂，甚至脱落。

与草本植物不同，树木有年轮。

仔细观察树桩就会发现一圈圈的纹路，这便是年轮。随季节变化，树木生长的速度不尽相同，年轮正是因此而产生。

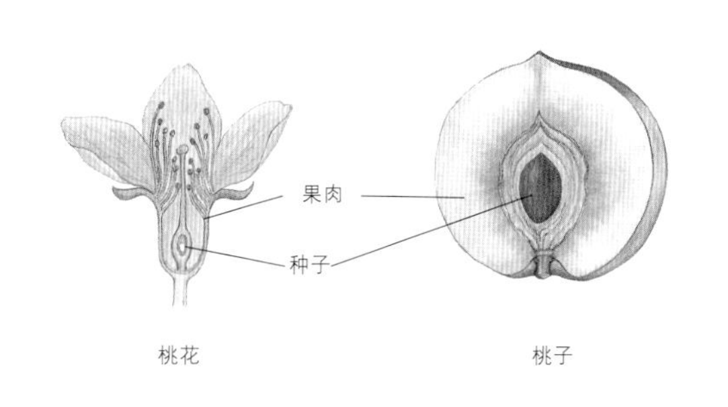

花 开花的植物大约有25万种。花的外形、大小和颜色各不相同。有单独开放的，也有成簇绽放的。有的花颜色娇艳，有的花则十分不起眼。有的花带有浓郁的香气，可以用来榨汁，香甜可口，有的花却没有任何气味。

无论花的外形和气味如何，所有的花都承担植物繁殖的任务。花蕊也如动物分雌雄一般，分为雌蕊和雄蕊。雄蕊附着有数百粒花粉，花粉传播到雌蕊的柱头上，这个过程称为“授粉”，然后会长出长长的花粉管，把精子输送到卵细胞中，最终长出果实，果实会不断长大。果实内的种子可看作是该植物的下一代。

从花到果

李

李花绽放。 花凋谢后，结出果实。 果实变大。 果实变重，向下低垂。 李成熟。

毛樱桃

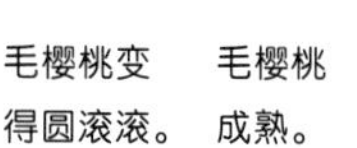

毛樱桃花绽放。 花凋谢。 果实变大。 毛樱桃变得圆滚滚。 毛樱桃成熟。

牡丹

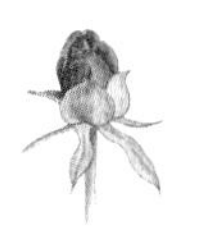

长出花苞。 花苞慢慢绽放。 完全绽放。 花瓣凋落。 结出星形果实。 果实成熟后裂开。

石榴

石榴花绽放。 结出石榴。 石榴变大。 石榴成熟，石榴皮开裂。

柿

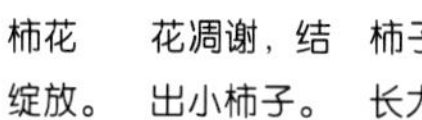

柿花绽放。 花凋谢，结出小柿子。 柿子慢慢长大。 花萼后翻，柿子变大。 柿子成熟。

苹果

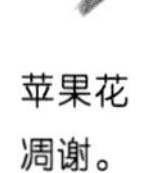

苹果花绽放。 苹果花凋谢。 苹果变重，向下低垂。 苹果成熟。

沙梨

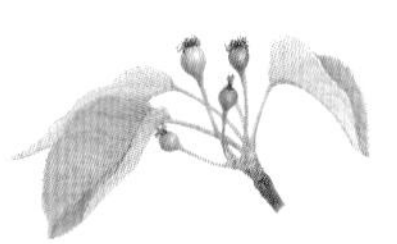

沙梨花绽放。 结出小沙梨。 沙梨成熟。

果实和种子 种子是植物生命的起点，被子植物的种子长在果肉里。葡萄酸甜多汁的部分是果肉，果肉里坚硬的颗粒便是种子。有的种子带有“翅膀”，乘着风飞向别处；有的种子长有钩或刺，粘在动物的毛发上移动。种子里含有供种子发芽和小芽生长的少量养分，这些养分足以支撑种子生根发芽直到能够独立生产养分。

依靠风传播的果实

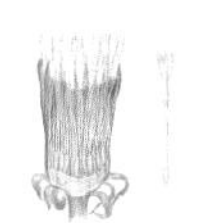

药用蒲公英的果实上长有一团茸毛。

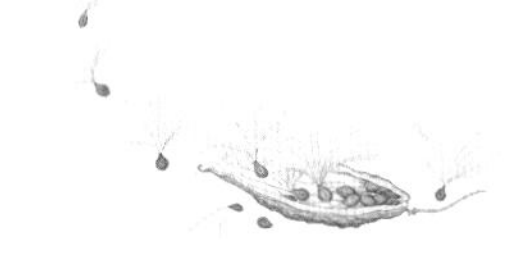

萝藦的种子细长，附有一层顺滑的毛。

朝鲜白头翁的果实上附有长而柔软的茸毛。

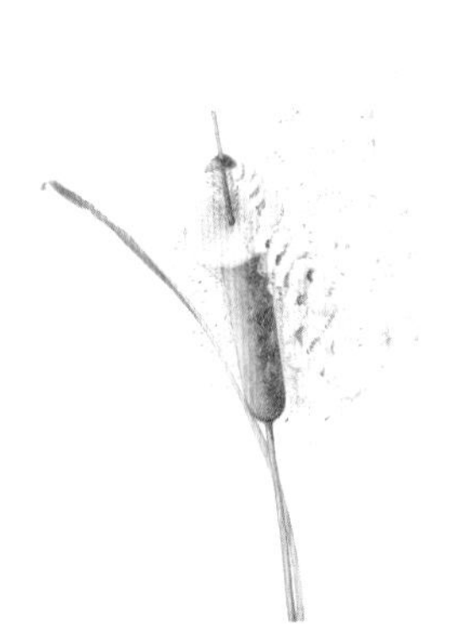

东方香蒲的果实盘旋上升，靠风传播。

白桦的种子如同鳞片一样，带有轻薄的“翅膀”。

鸡爪槭的果实只要风一吹，便如同螺旋桨一般旋转着坠落。

种皮绽裂的果实

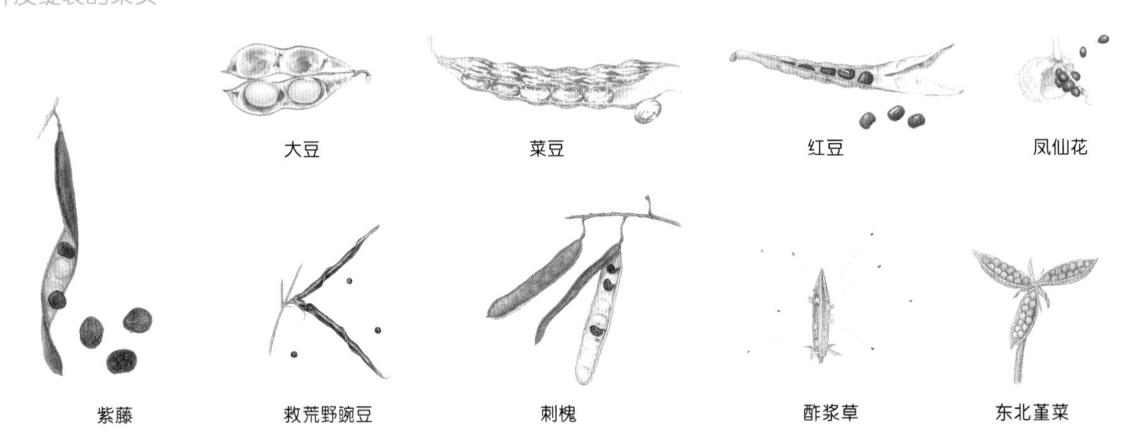

靠人类或动物传播的果实

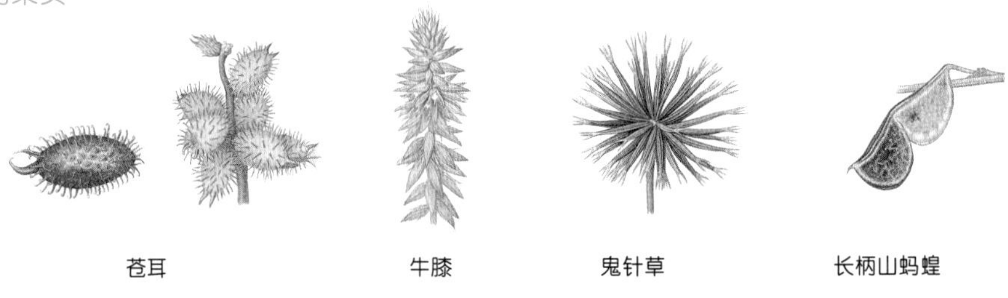

木本植物

裸子植物门　苏铁纲　苏铁科

苏铁　常绿针叶乔木。在中国南方，人们一般把它栽种在庭院里。叶子如羽毛一般，从叶柄向外散开。苏铁雌雄异株，雌球花呈球状，雄球花尖长。种植在中国北方的苏铁数十年开一次“花”*，极为罕见。　1 ~ 4米　6 ~ 8月

* 裸子植物的“花”不是通常所说的花，而是由孢子叶集生在枝的顶端或叶腋形成的球状或穗状结构，称作“球花”。

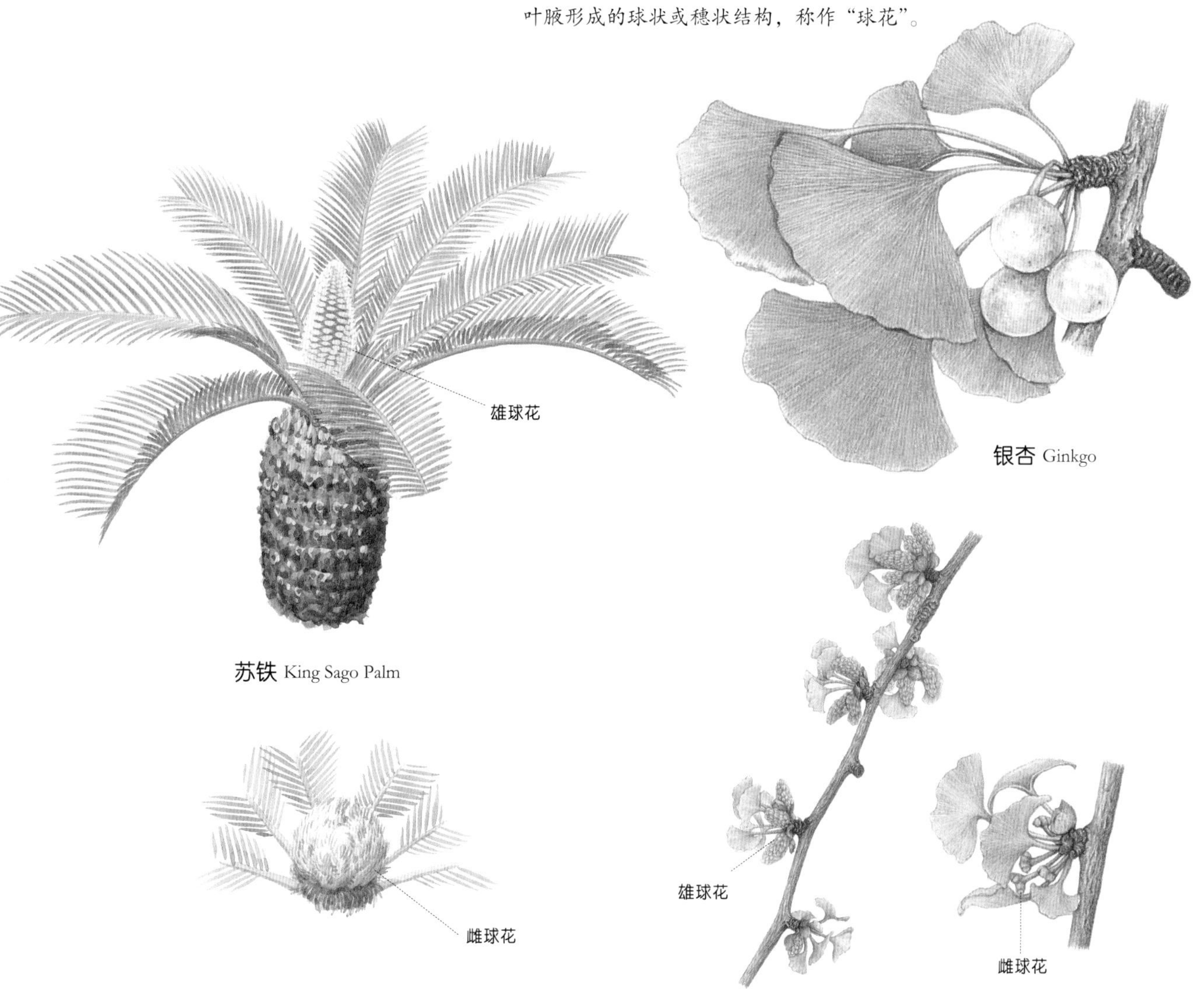

苏铁 King Sago Palm

银杏 Ginkgo

* 球果是大多数裸子植物具有的生殖结构，不是通常所说的果实，又称“假果”。

银杏纲　银杏科

银杏　种植在路旁或公园里的落叶乔木，在中国的云贵一带有少量野生银杏林。叶子呈扇形，秋天变为黄色。通常雌雄异株，雌树结球果*。球果呈金黄色时，会变得稀软，带有浓烈的臭味。球果内包裹着银白色的种子。银杏种仁由薄薄的碧色鳞片堆积而成。　15 ~ 60米　3 ~ 4月　9 ~ 10月

东北红豆杉 生长在中国东北山区的常绿针叶乔木，也常种植于公园和庭院中。树干呈红色。叶子如梳齿般窄而尖。结出的球果在秋天成熟，成熟后呈红色。由于球果底部是裂开的，因此黑色的种子会裸露在外。公园里种植的东北红豆杉会定时修剪，树形一般呈圆形或圆锥形。

10 ~ 20米 4月 8 ~ 10月

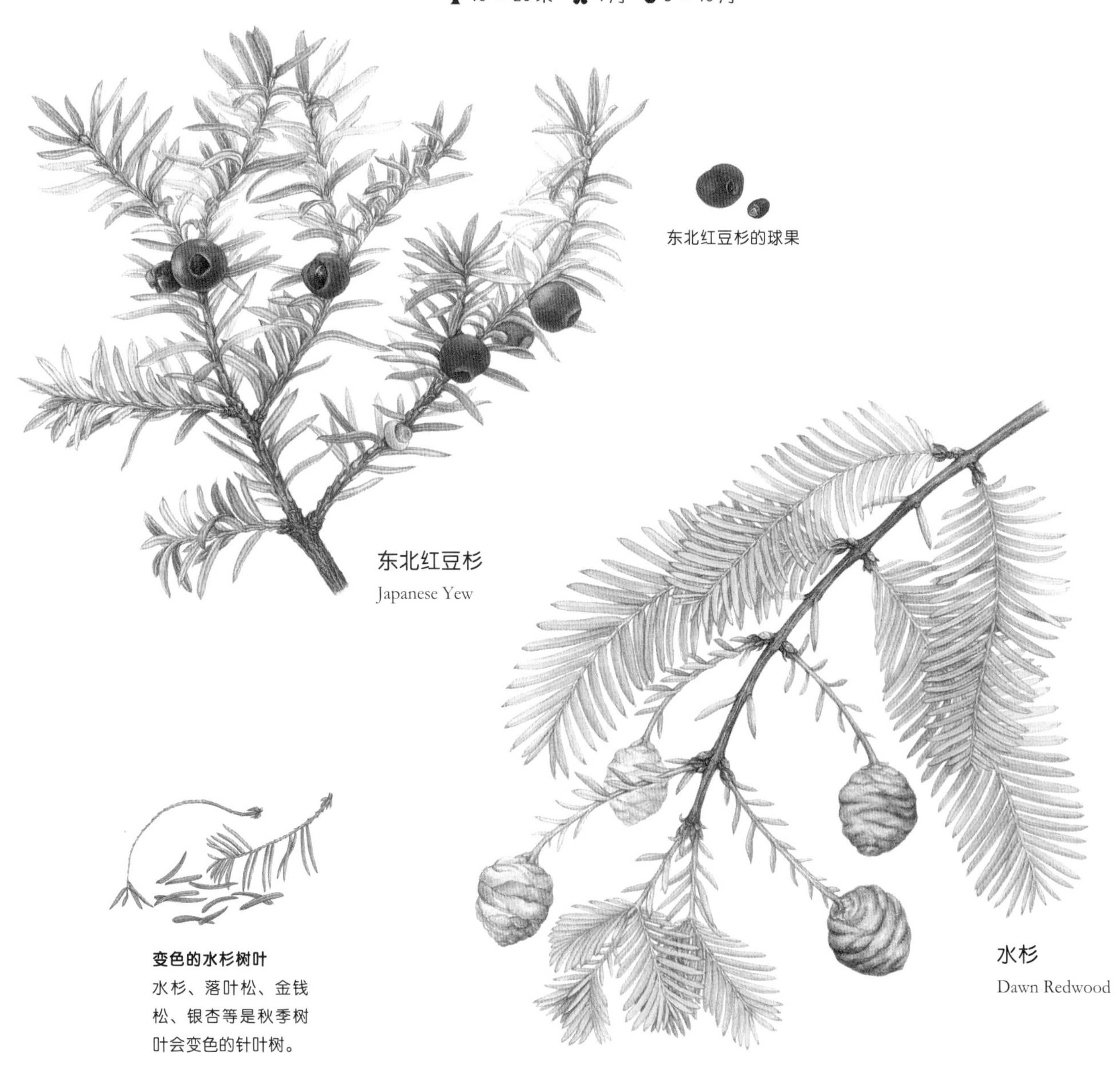

变色的水杉树叶
水杉、落叶松、金钱松、银杏等是秋季树叶会变色的针叶树。

杉科

水杉 种植在公园或街道旁的落叶针叶乔木。植株很高，树形如蓑衣般蓬松。树叶柔软，短枝形如羽毛，对称生长。秋天，叶子会变成红褐色，连同叶柄一起脱落。水杉原产于中国湖北、湖南、四川等地。因为生长速度较快，多用作街道绿化树。 35 ~ 50米 3 ~ 4月 10 ~ 11月

柏科

侧柏　种植在公园或庭院中的常绿针叶乔木。树皮纵向开裂，脱落的树皮细长扁薄。树叶偏平，细小，如鱼鳞般紧贴在树枝上。幼嫩的球果呈草绿色，并覆有一层白色粉末，秋天成熟后，变成褐色，并裂成三至四瓣。

20 米　3 ~ 4 月　9 ~ 11 月

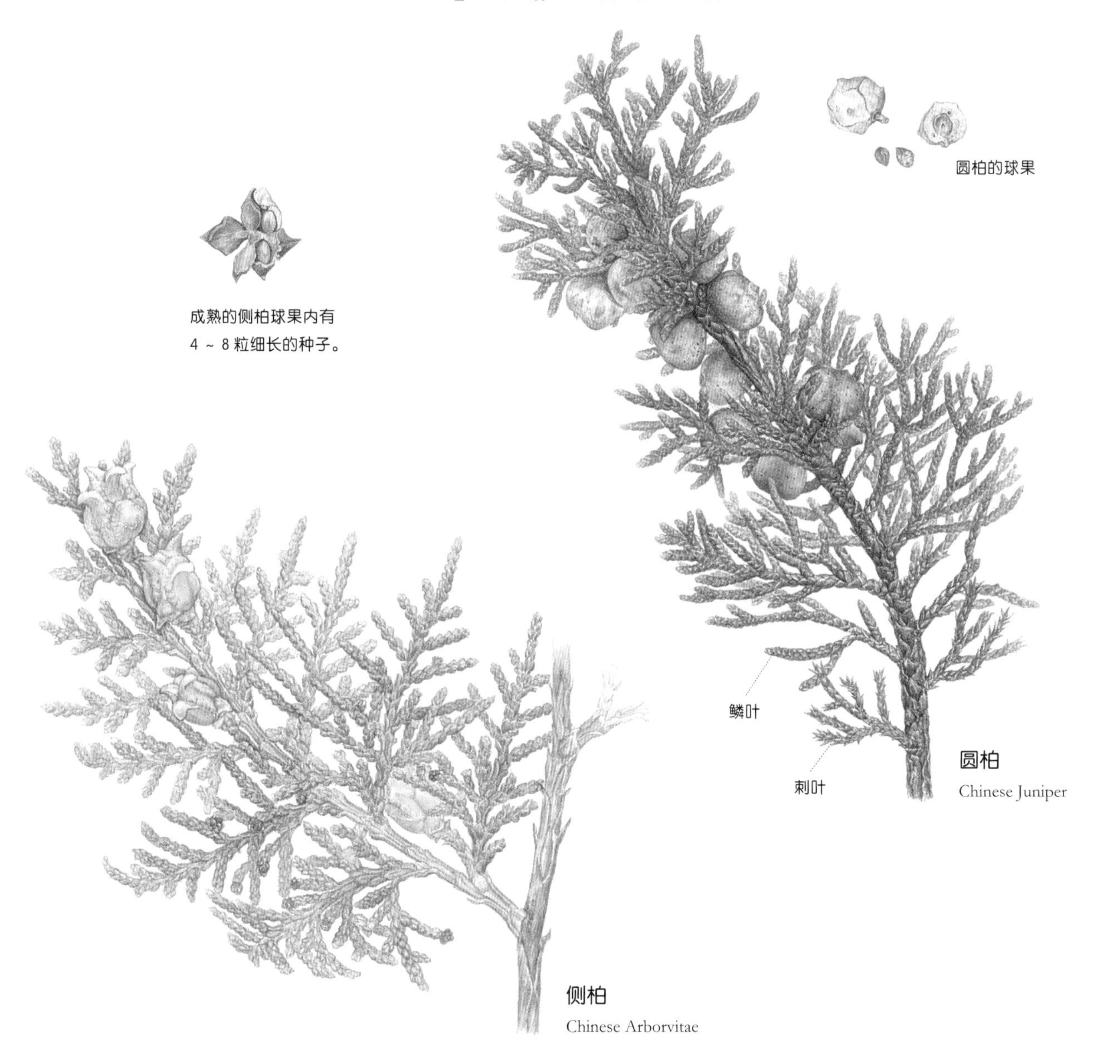

圆柏　种植在公园或庭院里的常绿针叶乔木。圆柏幼苗上，柔软的鳞叶和尖硬的刺叶会一起长出。十年后，圆柏上的鳞叶会变多。随着茎叶的生长，圆柏的枝条会被压弯变形。揉搓圆柏的叶子或果实会闻到香味。圆柏的根茎晒干后，可制成熏香。　20 米　4 月　9 ~ 10 月

日本落叶松 种植在植物园、公园和山上的落叶针叶乔木，针叶柔软。入秋后，树叶会变黄，纷纷脱落。球果长得像小松球。树干挺直，易存活，即使是在荒山，也长得郁郁葱葱。原产地为日本，在中国主要种植在北方地区。

30米 4～5月 9～10月

日本落叶松的干球果

日本落叶松
Japanese Larch

红松 Korean Pine

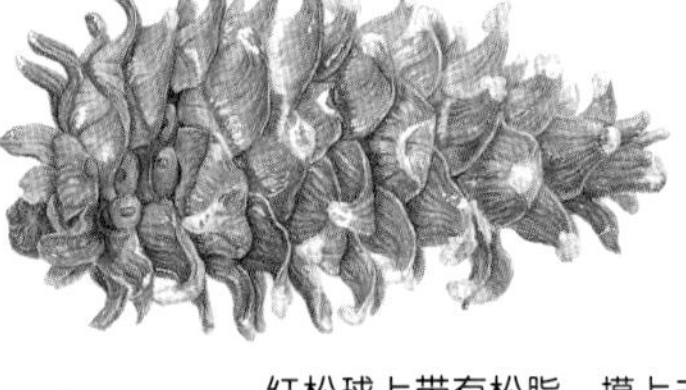

红松球上带有松脂，摸上去黏黏的。撬开坚硬的松子壳就能吃到清香的松子仁了。

红松 多生长在陡峭山谷的常绿针叶乔木。树干高而直，叶为五针一束。春天开“花”，第二年秋天结松球。红松球比一般松球稍大，长在松枝的顶端。一颗红松球中有80～120粒松子。 20～30米 4～5月 9月

刚松 种植在山里的常绿针叶乔木。原产于美国和加拿大。叶为三针一束，树干挺拔，且会长出胡须般的新叶。由于刚松多节疤，所以一般不用作木材。 25米 5月 9 ~ 10月

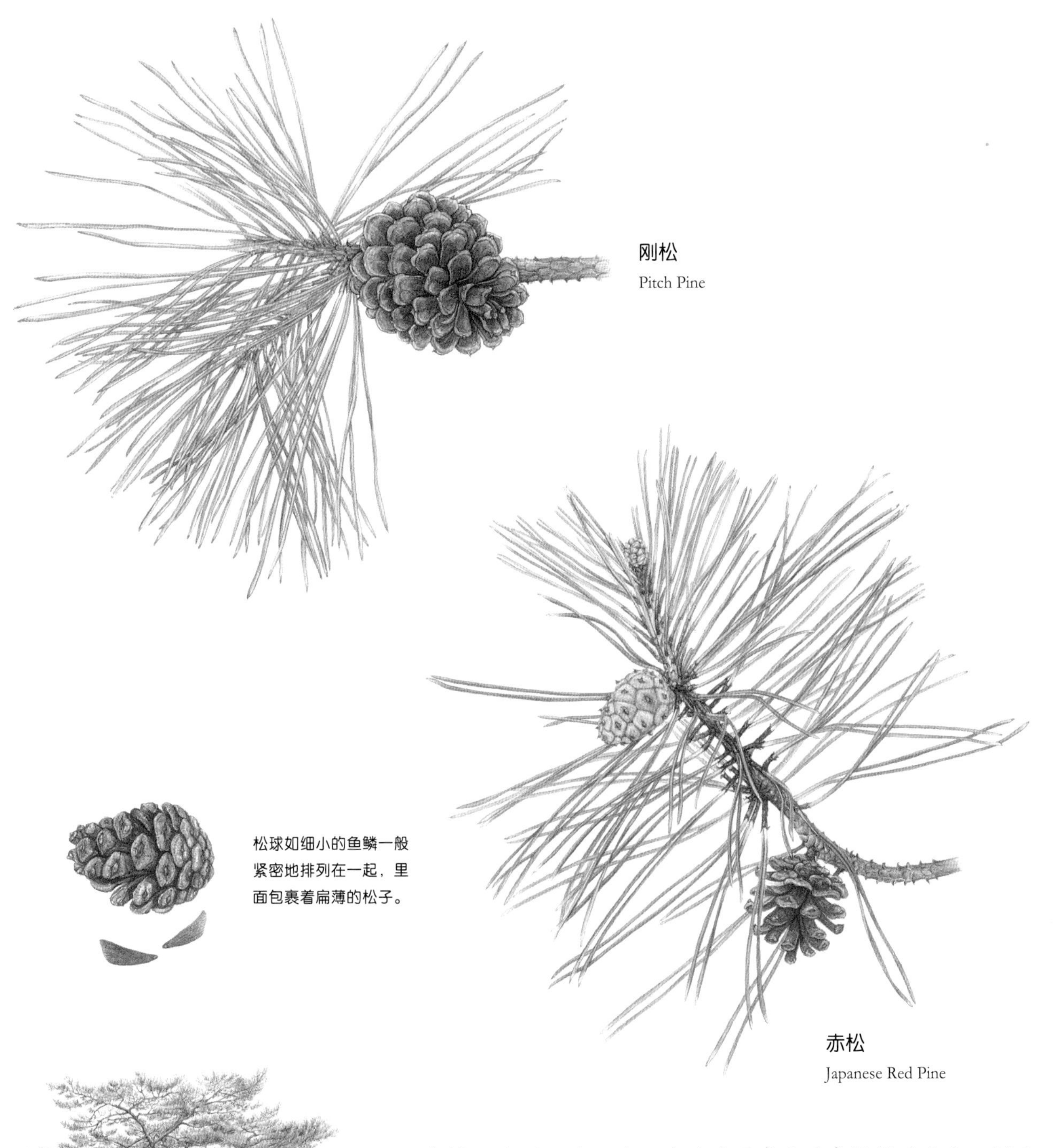

赤松 中国山东沿海及东北地区常见的常绿针叶乔木。树干有的挺拔，有的弯曲。树皮如龟背一样开裂。叶为二针一束。春天开“花”，黄色的花粉如尘埃一般随风飘扬。雌花于第二年秋天结松球。赤松木纹理美观，木质较硬，不易腐烂，是优质的木材。 35米 5 ~ 6月 9 ~ 10月

垂柳 枝条如线一般细长下垂，根系发达，吸水能力强。春天开花，初夏结子，种子尾部带有白色的柳絮，微风一吹便四处飞扬。人们常把垂柳的种子误认为是花粉。

15 ~ 20 米 ✱3 ~ 4月 5 ~ 6月

垂柳 Weeping Willow

核桃 Walnut

核桃

胡桃科

核桃 人们为了收获核桃而种植的落叶乔木。核桃每个长叶柄上对称生长着 5 ~ 9 片小叶。春天叶子和花一起生长，秋天结出果实。果实呈青绿色，到了深秋，果皮裂开，果核便会掉落，果核便是核桃。核桃的壳坚硬而光滑，里面包裹着布满褶皱的核桃仁。核桃仁油脂含量高，吃起来十分香甜。

20 米 ✱4 ~ 5月 9 ~ 10月

白桦 生长在山区的落叶乔木，也多被种植于公园里。树皮呈白色，像纸一样薄。树叶近似于三角形，叶片非常薄。白桦秋天结果，果实可以在树上一直挂到第二年春天。树茎上油脂较多，一旦点燃便会熊熊燃烧。

15 ~ 20米 4 ~ 5月 9 ~ 10月

树枝脱落后，会在树干上留下清晰的印迹。

白桦的干果实带膜状翅的种子纷纷落下。

白桦 Siberian Silver Birch

榛 Mongolian Hazel

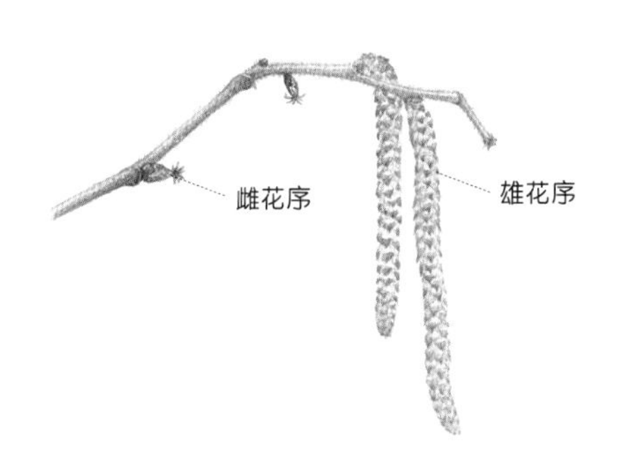

榛 生长在山麓地带的落叶乔木，多见于向阳且干燥的山麓地带。早春时节，先开花后长叶。雄花序（许多雄花聚集在一起称为雄花序）向下低垂，红色的雌花序紧贴在枝丫上。果实近球形，剥开果壳就可以吃到果仁。榛仁清香，被称为“坚果之王”。 2 ~ 3米 3 ~ 4月 8 ~ 9月

蒙古栎 生长在山上的落叶乔木，在中国多有种植。叶子宽大，叶柄极短，正反面都没有茸毛，十分光滑。果实长在小碗一样的壳斗里。蒙古栎的果实比其他栎树的果实结得早，是松鼠等动物的最爱。 30米 3～4月 9～10月

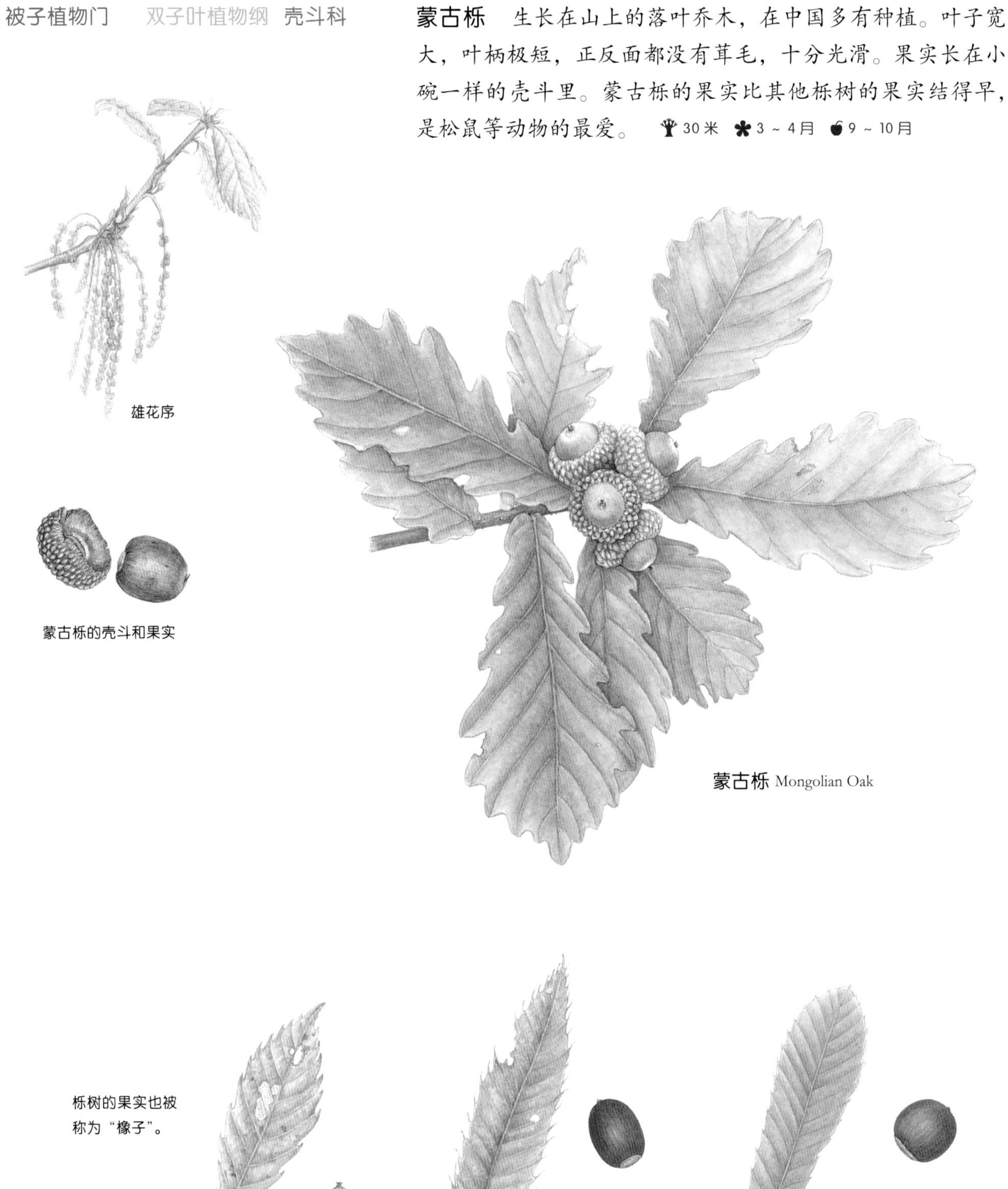

栎树的果实也被称为“橡子”。

枹（bāo）栎
树叶和果实比较小。

麻栎
树叶边缘长有细长的芒尖。果实较粗大。

栓皮栎
叶柄短，叶子背面发白。

栗　生长在山上的落叶乔木。人们为了收获栗子，也会特意种植。栗子花初春盛开，穗状的雄花序低垂，香味浓郁。随着果实生长，外壳上的刺会越来越尖锐，人们形象地称之为“毛栗子”。毛栗子成熟后，会裂成四瓣。每个毛栗子内一般包裹着三枚栗子。栗子被坚韧的外壳和柔软的表皮包裹，果肉呈淡黄色，口感较硬，吃起来十分香甜。

10 ~ 15米　5 ~ 6月　9 ~ 10月

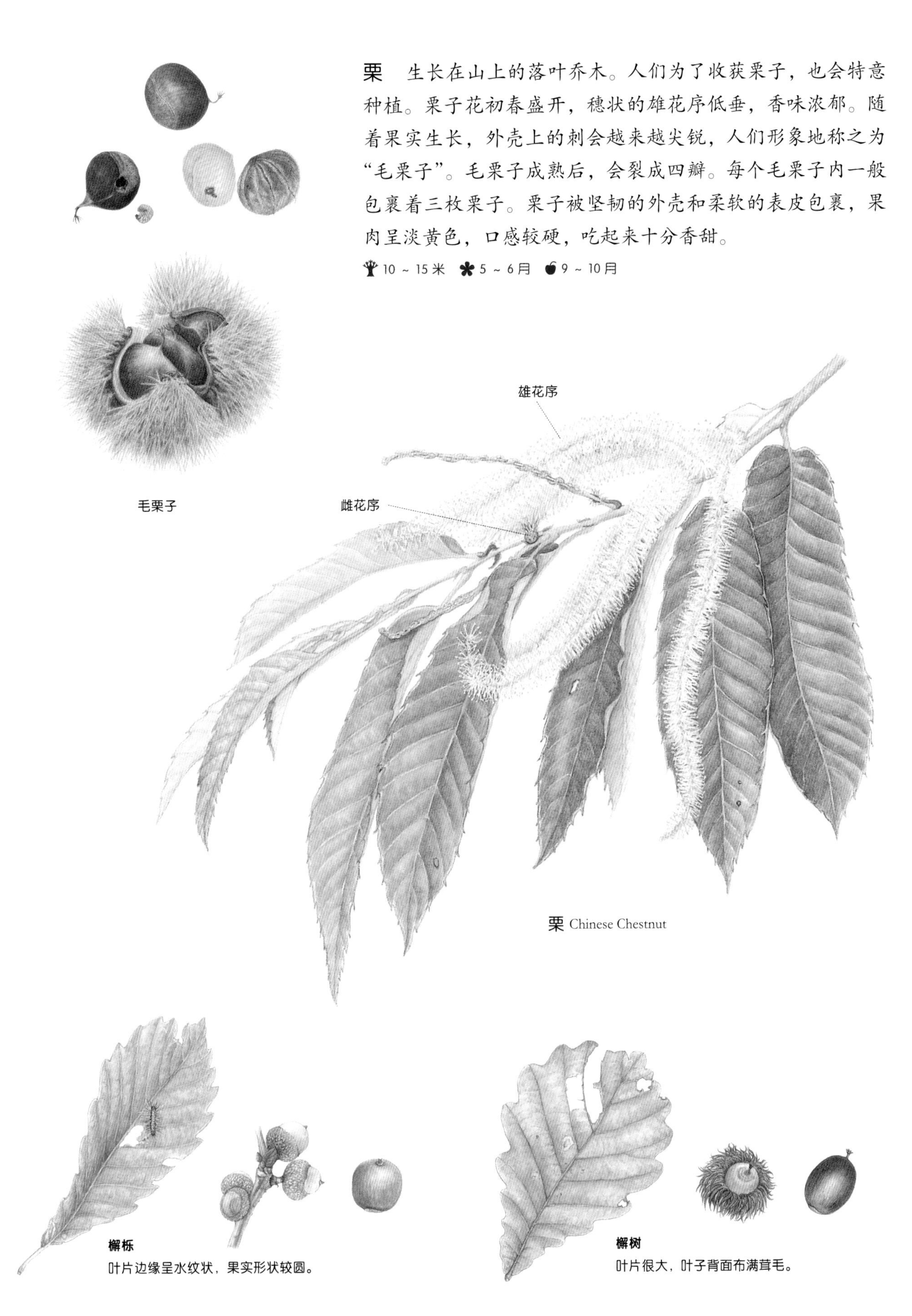

毛栗子

栗 Chinese Chestnut

槲栎
叶片边缘呈水纹状，果实形状较圆。

槲树
叶片很大，叶子背面布满茸毛。

被子植物门 双子叶植物纲 榆科

榉树 中国南方常见的落叶乔木。榉树根部粗壮，枝叶繁茂，常被种植在公园里或建筑物旁。叶子细长，顶端尖细，四周长有锯齿。榉树春天会开淡绿色的小花。到了秋天，树叶会变成黄色或红色。 20 ~ 30 米 4 ~ 5 月 10 月

变黄了的榉树叶

榉树 Zelkova Tree

桑树 White Mulberry

桑科

桑树 喜温暖湿润气候的落叶乔木，人们为了养蚕或收获桑葚（shèn）会特意种植。桑树的果实桑葚熟透后会变成紫黑色，又软又甜。长在田间的桑树植株不高，叶子肥大，桑葚个头儿也大。初夏时节，人们如果发现鸟的粪便变成蓝色，便知道桑葚熟了。 10 米 4 ~ 5 月 5 ~ 7 月

无花果　主要生长在热带和温带地区的落叶乔木，绝大部分都是常绿品种。叶子硕大，长得像成人的手掌。叶柄长而粗壮。春天长出圆滚滚的花序，花在花序内部开放。花序外表看起来像是果实，并不像花，其实里面开满了数不清的小花。果实也长在花序里，秋天果实成熟，外皮会变得略带红色。过去人们以为它是不开花而结果，所以称它为“无花果”。

2～4米　4～5月　8～10月

槲寄生 Mistletoe

无花果 Common Fig

桑寄生科

槲（hú）寄生　寄生在其他树木上的常绿灌木。槲寄生通常寄生在各种栎树上，根部扎入树皮生长。远远望去，就像一团绿色的喜鹊窝。槲寄生的枝条呈“Y”形生长。叶子细长而结实，即便在冬天也是深绿色的。槲寄生黄珠子般的果实深受鸟类喜爱。小鸟吃下果实后，种子随鸟粪粘在树上，不久之后便会扎根。　0.3～1米　3～4月　9～11月

被子植物门 双子叶植物纲 毛茛（gèn）科

牡丹 观赏类落叶灌木。春天，牡丹花在枝头绽放，花朵硕大，香气芬芳，素有“国色天香”之美誉。花瓣如绸缎般丝滑，花蕊呈嫩黄色。花瓣凋谢时，一瓣一瓣纷纷落下。果实呈五角星状，成熟后会自动裂开。牡丹的原产地是中国，中国有着1500多年人工栽培牡丹的历史。牡丹花除了常见的紫色、粉红色和白色外，还有其他多种颜色。

2米 4～5月 9月

牡丹 Tree Peony

防己科

木防己 山麓地带常见的落叶藤蔓。藤蔓攀缘其他树木生长。雌雄异株。初夏，淡黄色的小花成簇开放，果实长得很像野葡萄。成熟后，果实先变黄再慢慢变蓝，而且表面附有一层灰白色粉末。 3米 5～6月 8～10月

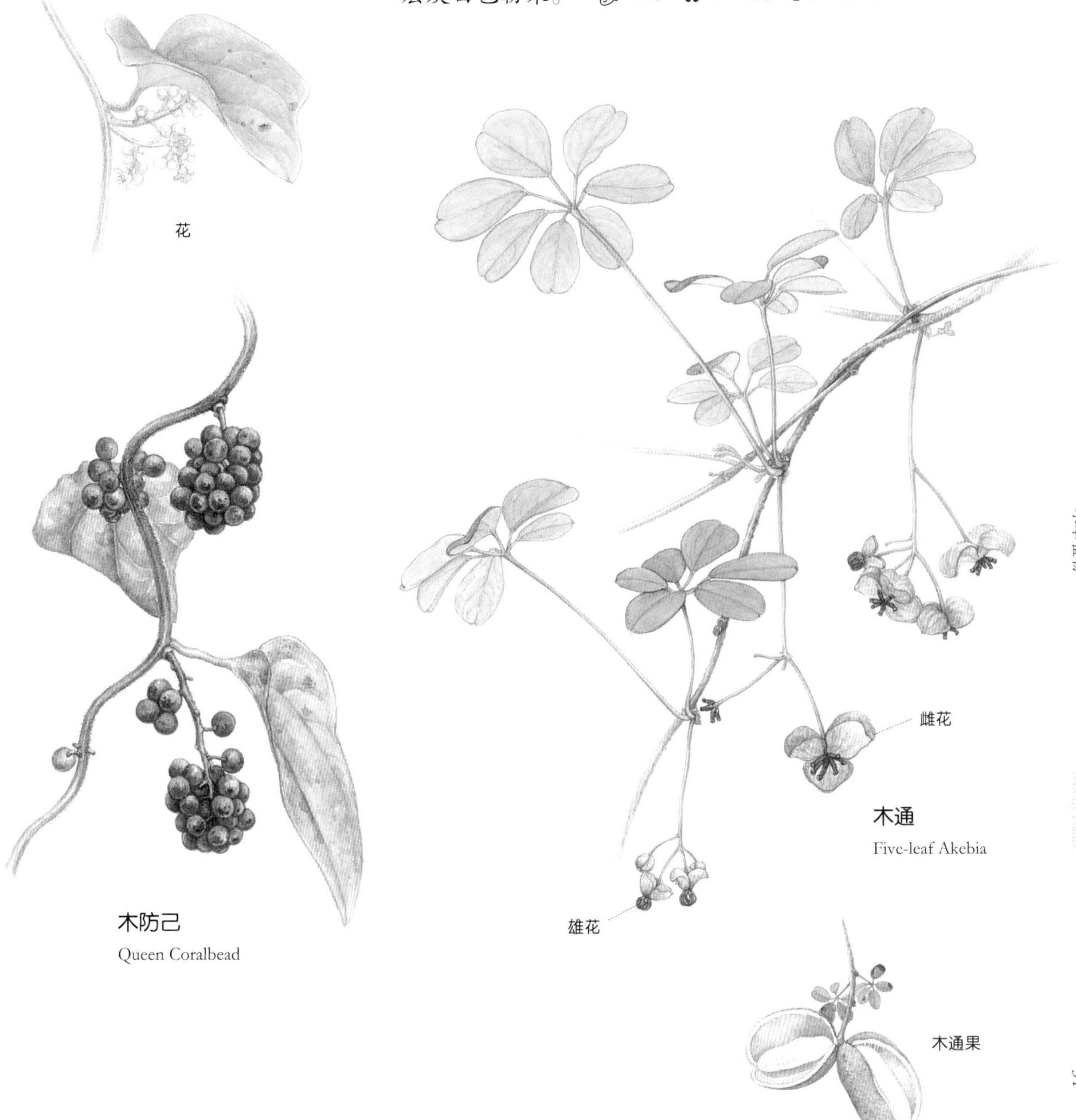

木防己
Queen Coralbead

木通
Five-leaf Akebia

木通科

木通 生长在山上的落叶藤蔓，依附着其他树木攀爬生长，在中国主要分布于长江流域。叶子是复叶，叶形如人的手掌，共有5～7片小叶。春天开紫红色的花，秋天果实成熟。木通果实形状稍长，熟透后，便会纵向裂开，里面有白色的果肉，香甜且多籽。 5米 4～5月 7～9月

玉兰 种植在公园或庭院里的落叶乔木，俗称“白玉兰”。先开花后长叶。玉兰花花朵呈乳白色，香气幽远，令人心生喜爱。花苞上长有松软的茸毛。一朵花有九枚花被片*。花朵凋谢时，掉落的花被片也会变黄。 🌳10 ~ 15米 ✿3 ~ 4月 🍎9 ~ 10月

*花萼和花冠都呈瓣状，没有明显区别，合称为“花被片”。

二乔玉兰 种植在公园或庭院里的落叶乔木。外形与玉兰类似，只是花的颜色是紫色的。二乔玉兰在玉兰凋谢时开花。花苞向着天空生长绽放。二乔玉兰是玉兰和紫玉兰的杂交种，因此兼有二者的特征。 🌳15米 ✿4月 🍎通常不结果

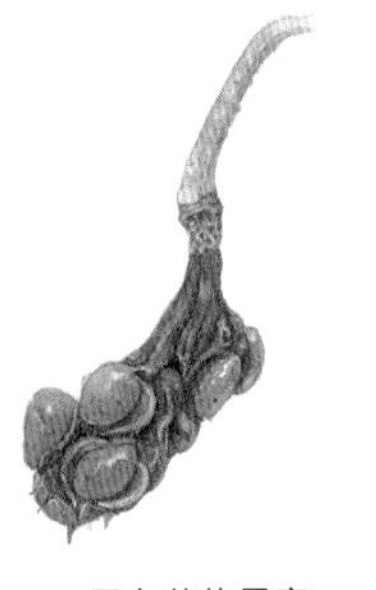
天女花的果实

天女花 生长在山区的落叶乔木，又被称为“小花木兰”。早春开花，花与玉兰花相似，花气清香，惹人喜爱。花瓣呈白色，花蕊呈红色。果实在秋天成熟后呈红色。

🌳7米 ✿5 ~ 6月 🍎9 ~ 10月

五味子 生长在山区的落叶藤蔓。因为可以入药，也有人专门种植。五味子雌雄异株。初夏绽放乳白色的花。果实长得像小葡萄，初秋熟透后，变成鲜红色。熟透的果实晒干后，可用来泡茶喝，或用来治感冒。因为有五种味道，因此得名“五味子”。五味子果实过于酸涩，很少被人们食用。

6 ~ 9米 5 ~ 7月 9 ~ 10月

樟科

三桠乌药 生长在山区的落叶乔木或灌木。揉搓叶子或枝条，会闻到生姜的味道。三桠乌药先开花后长叶，细小的黄花如火花般簇簇绽放。在中国东部各省及西南地区广泛分布栽培。三桠乌药的木材极香，可用来制作细木工和雕刻工艺品。

3 ~ 6米 3 ~ 4月 9月

笑靥（yè）花 生长在山麓或田野里的落叶灌木，主要分布在中国长江流域以南地区。笑靥花先开花后长叶。春天，纤细的枝条上开满了密密麻麻的白色小花，像一根花棒。笑靥花有香味，开几天后便纷纷凋落。散落的花瓣如同爆米花一样。

1.5 ~ 2米 4 ~ 5月 9 ~ 10月

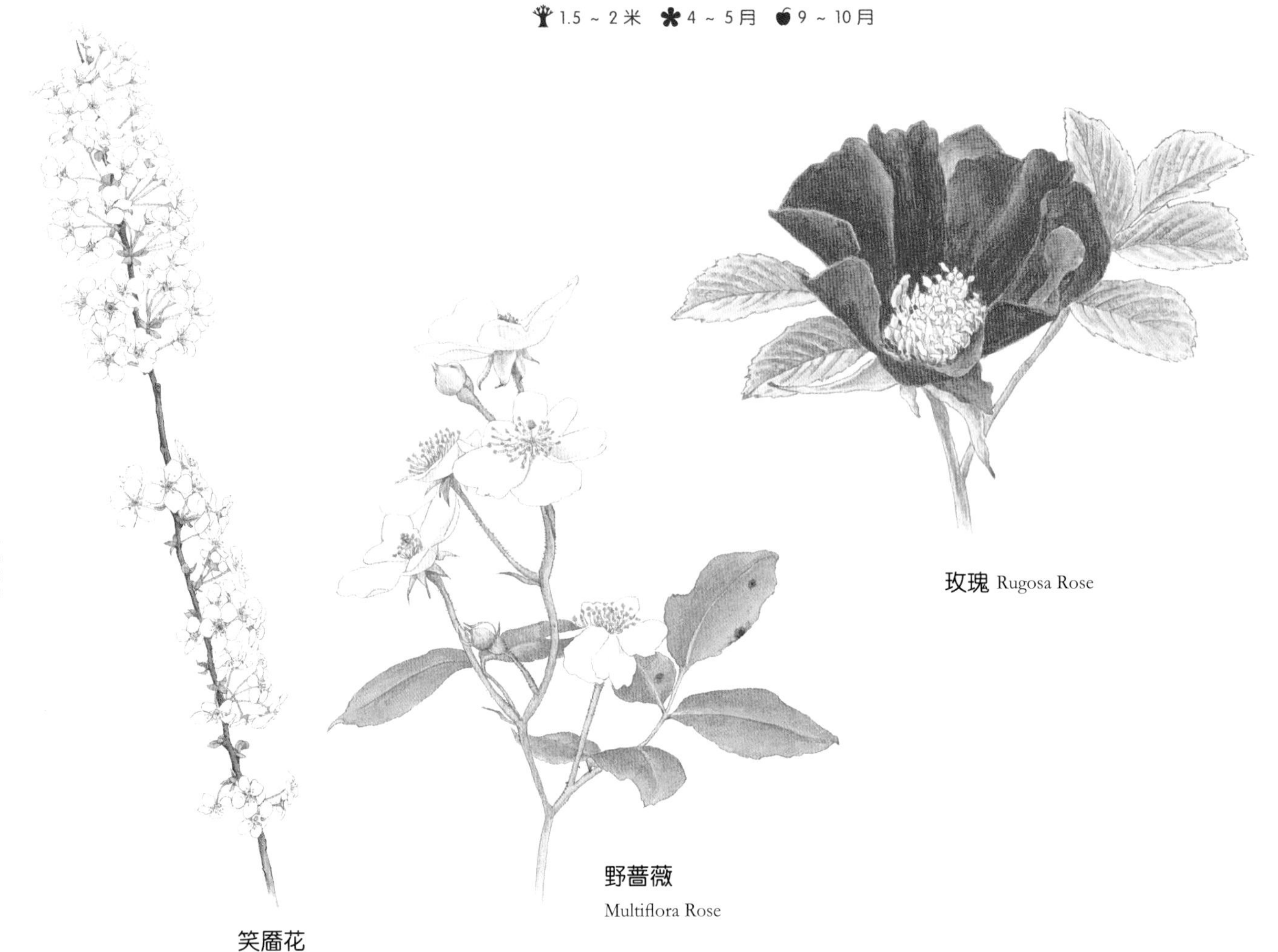

玫瑰 Rugosa Rose

野蔷薇 Multiflora Rose

笑靥花 Bridal Wreath Spirea

玫瑰 生长在海边沙地上的落叶灌木。枝条上长满密密麻麻的小刺。夏天开花时，香气四溢。玫瑰的栽培品种可以用来提炼玫瑰精油。花瓣呈粉红色，花蕊呈鲜黄色。结出的果实像小小的石榴，晚秋成熟时，会变得通红。

1 ~ 1.5米 5 ~ 7月 8 ~ 9月

野蔷薇 生长在山麓或田野里的落叶灌木。枝条上长有又细又尖的刺，刺稍微向下弯曲。野蔷薇晚春开花，花瓣雪白，花蕊呈黄色，带有隐隐的香味。形状略长的红色果实会在秋天成熟。 1 ~ 2米 5月 9 ~ 10月

当代月季 观赏类的落叶灌木。枝条上长有尖锐的刺和复叶，每片叶子由 3 ~ 7 枚小叶片组成。花的颜色、大小和形状非常多变。花期一般从 4 月一直持续到深秋。还有一种沿着院墙生长的爬藤状当代月季。 1 ~ 2 米 ✱ 4 月 ~ 10 月

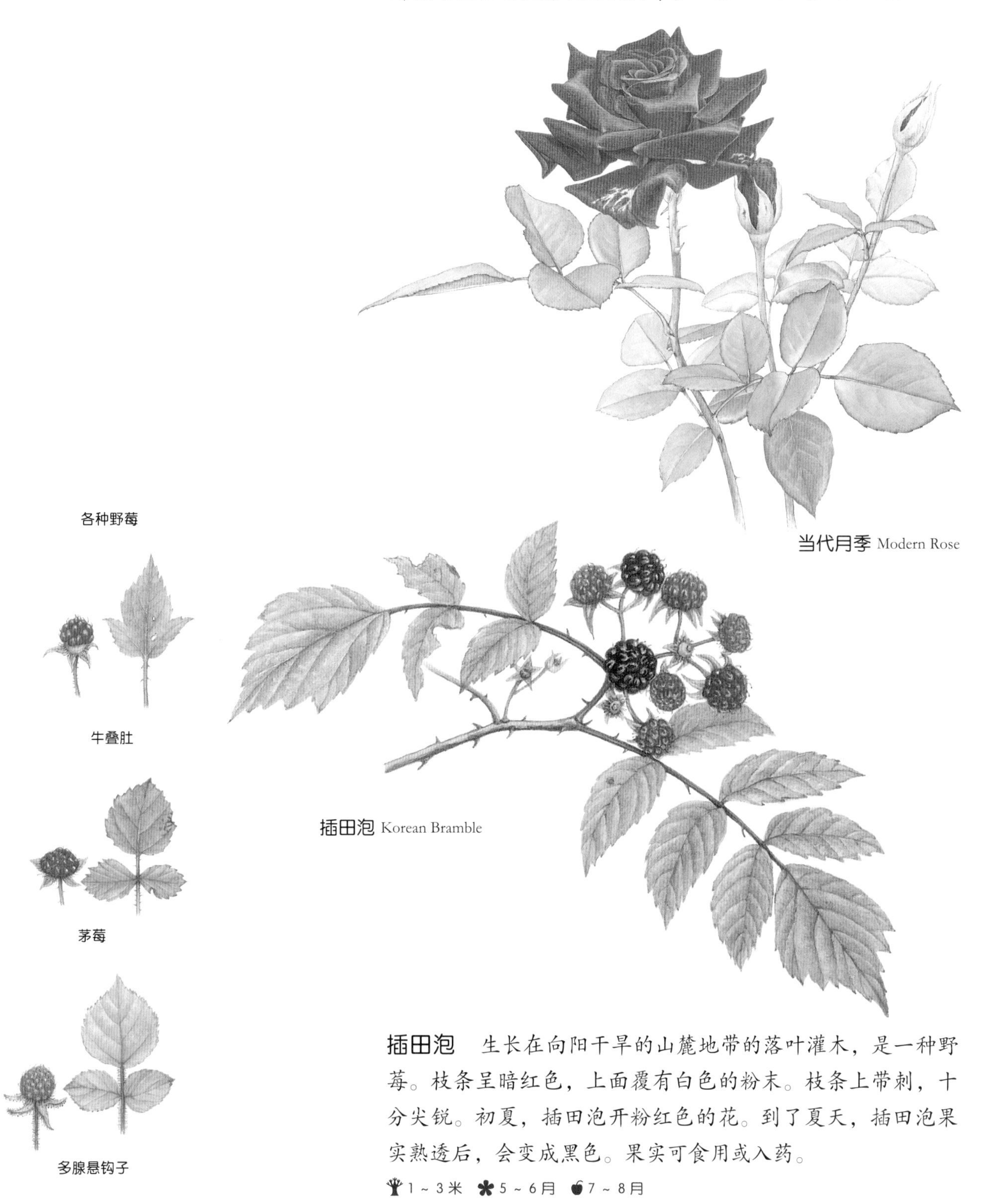

当代月季 Modern Rose

插田泡 Korean Bramble

插田泡 生长在向阳干旱的山麓地带的落叶灌木，是一种野莓。枝条呈暗红色，上面覆有白色的粉末。枝条上带刺，十分尖锐。初夏，插田泡开粉红色的花。到了夏天，插田泡果实熟透后，会变成黑色。果实可食用或入药。

1 ~ 3 米 ✱ 5 ~ 6 月 7 ~ 8 月

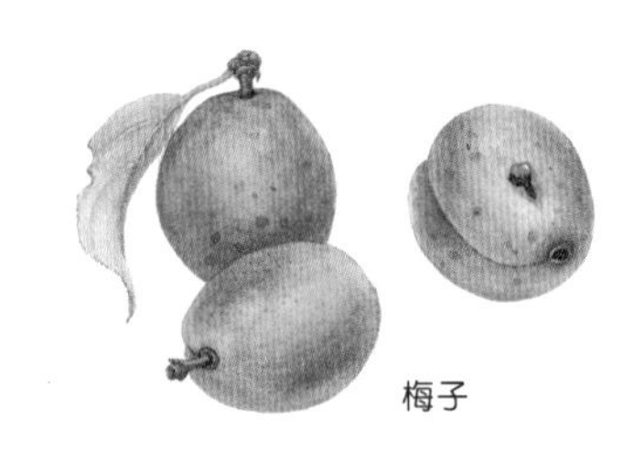
梅子

梅　人们为了收获梅子或观赏梅花而种植的落叶乔木。梅花在积雪尚未完全融化的早春绽放，一般呈白色或淡粉色。通常枝条上还未长出叶子，梅花就已经绽放了，带有淡淡的清香。梅子7月成熟后，呈黄色。人们一般在6月就将还很硬的青梅摘下，加工成话梅等各种美味零食。梅子很酸，一般不生吃。　5米　2～4月　7月

李
Plum

梅
Chinese Plum

李　人们为了收获李子而种植的落叶乔木。春天，雪白的李花压满枝头，叶子也在开花时开始冒芽。李子夏天成熟，由于品种不同，李子的大小、颜色和口感也不尽相同。大部分李子的表皮呈红色，果肉呈黄色，酸中带甜。

10米　4月　6～9月

杏

杏 人们为了收获杏而种植的落叶乔木，也常种植于庭院中。春天，粉红色的杏花开满枝头，杏花的花梗很短，紧紧地附着在枝条上。杏花凋谢时，粉红色的花瓣漫天飞舞，如梦如幻。杏一般在梅雨来临之前采摘。

5～10米 3～4月 6～7月

杏
Apricot

桃
Peach

桃子

桃 人们为了收获桃子而种植的落叶乔木。春天，枝头开满密密麻麻的粉红色桃花，散发出一股桃子的香甜味道。桃子盛夏成熟，熟透的桃子香软多汁，果皮上布满茸毛。

3～8米 4～5月 7～9月

东京樱花　多种植于公园或路边的落叶乔木，每年4月左右，是赏樱的时节。粉红色的樱花堆满枝头，能够绽放一周左右。樱花凋落时，粉红色的花瓣漫天飘舞，好像一场美丽的樱花雨。初夏，东京樱花的果实开始成熟。樱花结的果实就是樱桃，但大部分品种并不好吃。

10～20米　4月　5～6月

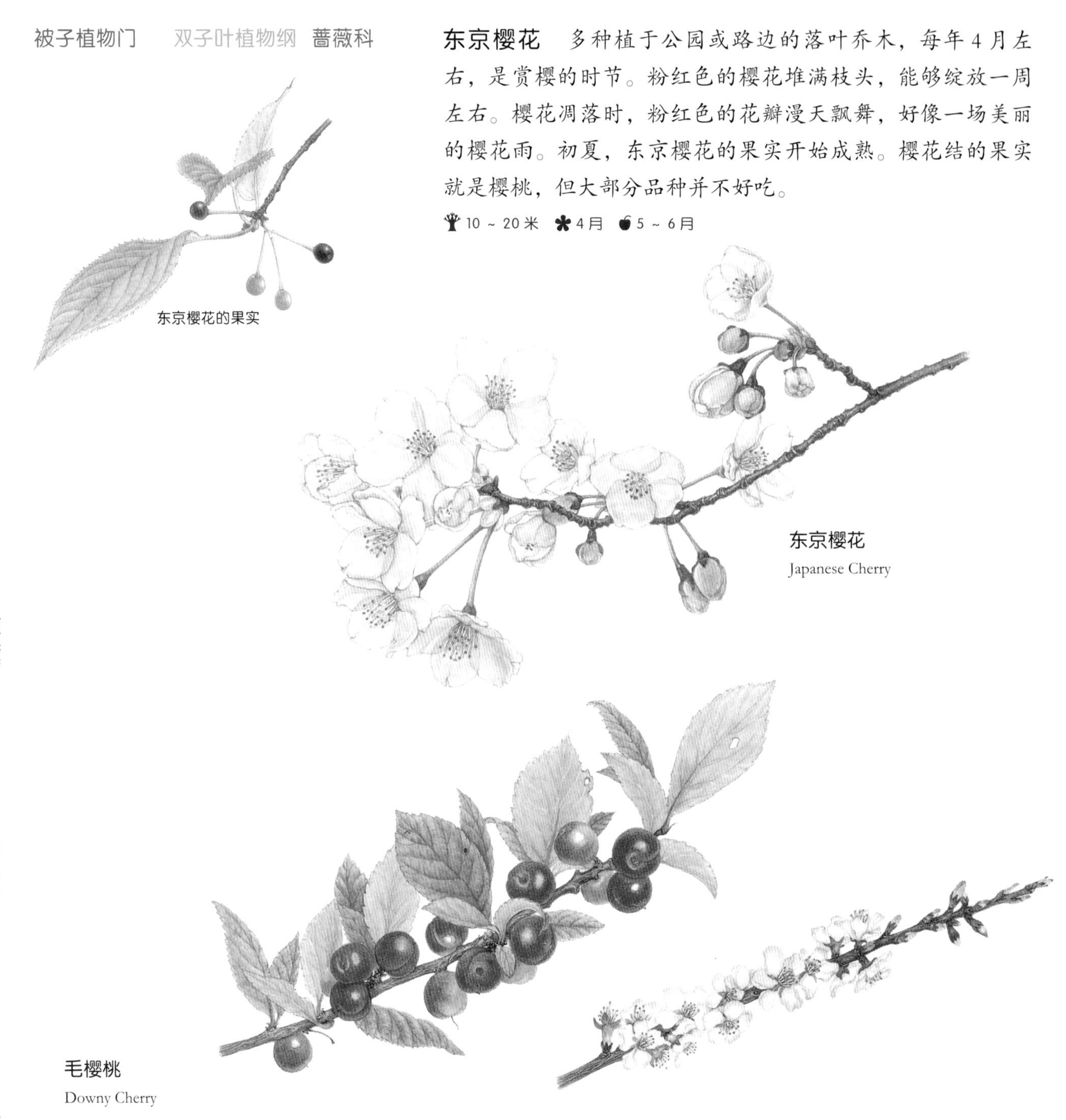

毛樱桃　生长于山坡或林边的落叶灌木。毛樱桃植株不高，树皮呈黑色，且十分粗糙。叶子呈椭圆形，叶面前后都有柔软的毛。春天，有时先开花后长叶，有时开花的同时长叶。毛樱桃长得像红彤彤的珠子，每颗毛樱桃里都有一枚坚硬的核。果实一般在初夏成熟。　3米　4月　6月

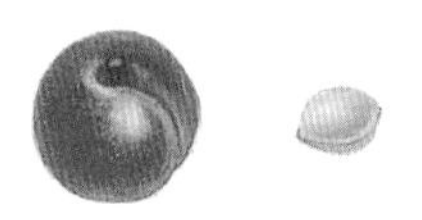
每颗毛樱桃里都有一枚坚硬的核。

皱皮木瓜 种植在花圃里的落叶灌木，也被称为“贴梗海棠”。春天会开类似山茶般红色的花。枝条上长有尖锐的刺。果实秋天会发黄，和婴儿的拳头差不多大，样子像小木瓜。和木瓜一样，有香味。有时人们会种植皱皮木瓜当作篱笆。

1～2米 4～5月 9～10月

皱皮木瓜的果实

皱皮木瓜
Flowering Quince

木瓜

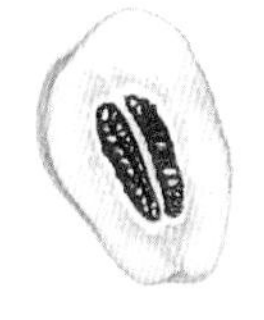
木瓜的籽很多。

木瓜
Chinese Quince

木瓜 人们为了收获木瓜而种植的落叶乔木。有的人家会在庭院里种植一两棵。木瓜树容易脱皮，树皮一块块脱落，树干会变得斑驳。晚春，木瓜树会开出粉红色的花。秋天，木瓜会变成鲜黄色，香味很浓郁，味道有点酸涩，所以人们通常会往木瓜里加入白糖后泡茶喝。

10米 5月 9～10月

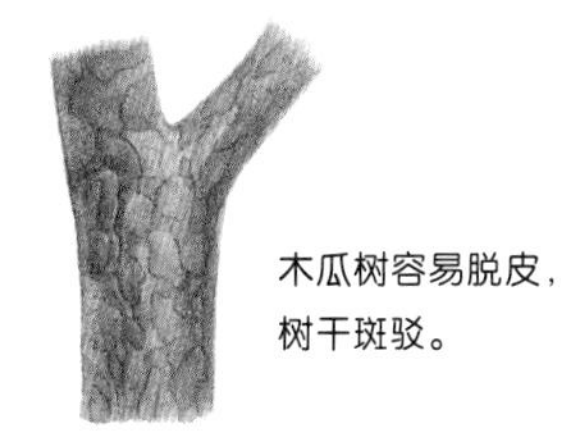
木瓜树容易脱皮，树干斑驳。

山楂 生长在山上的落叶乔木，现在也作为观赏植物种植。山楂的一些枝条会长出短枝丫。春天，这些枝丫的顶端会开出白花。秋天，山楂成熟后，会变得红彤彤的。山楂又被称为“红果”，陆游曾写下“山童负担卖红果，村女缘篱采碧花”的诗句。山楂晒干后，可以用来泡茶，也可以入药。

3 ~ 6米 5月 9 ~ 10月

苹果花凋谢后就开始结小苹果了。

苹果 人们为了收获苹果而种植的落叶乔木。果园里的苹果树经常被人修剪，所以不会长很大。春天开白花，果实可以从夏末采摘到晚秋。根据品种的不同，苹果的大小、口感、成熟的时间也各不相同。苹果易招虫，易生病，所以不常种植在公园或庭院里。现在得益于先进的栽培和保鲜技术，几乎一整年都可以吃到苹果。 10米 4 ~ 5月 9 ~ 10月

小果实

沙梨 人们为了收获沙梨而种植的落叶乔木。多种植在果园里。4月雪白的梨花绽放，秋天沙梨成熟，会变成黄色。果皮上有小突起，果肉是白色的。沙梨味道甜且多汁，大个儿的有碗那么大。 5 ~ 15米 4月 9 ~ 10月

沙梨 Pear

沙梨的花

秋子梨 Ussurian Pear

秋子梨 生长在山里或种植在果园里的落叶乔木。果实外表和沙梨相似，个头儿却只有婴儿的拳头那么大，十分坚硬。秋子梨和沙梨一样，多汁香甜。秋天，将从山中摘回来的秋子梨放入瓮里保存一段时间，会变得更甜。

15 ~ 20米 4 ~ 5月 10月

花楸（qiū） 生长在山间的落叶乔木，也常被种植在公园里。叶柄很长，单叶如同羽毛一般对称生长。初夏，枝头开出白色的小花，聚集在一起，形成硕大的花束。花楸的果实有豆粒一般大，秋天成熟后，会变成鲜红色。鹎（bēi）等鸟类特别喜欢吃花楸的果实。 6 ~ 8米 5 ~ 6月 9 ~ 10月

花楸 Japanese Mountain Ash

巴旦木 Almond

巴旦木果实熟透后，就会裂开，露出坚硬的果核。果核里的果仁可以食用。

巴旦木 巴旦木和桃树相似，花也是粉红色的，果实也和桃子类似。我们吃到的香甜的巴旦木仁便是它果核里的种仁。巴旦木的原产地是中东地区，但现在，产量最高的地区是美国的加利福尼亚州。 4 ~ 10米

虎耳草科

圆锥绣球 种植在花圃里的落叶灌木。夏天，圆锥绣球的枝头会开出一个硕大的白色花球，娇艳欲滴。花球是由很多细小的白花聚集而成，看起来就像是一束花。花枯萎了也不会散落，而是在树上一直挂到秋天。

2 ~ 3米 7 ~ 8月 9 ~ 11月

圆锥绣球
Panicle Hydrangea

一球悬铃木
American Sycamore

一球悬铃木多招致毒蛾的幼虫（即毛毛虫）。

悬铃木科

一球悬铃木 一种作为绿化树的落叶乔木，也叫“美国梧桐”。一球悬铃木常被人们错误地称为“法国梧桐”，而法国梧桐在植物学上通常被称为“三球悬铃木”。一球悬铃木的叶柄较长，叶子硕大。随着生长树皮会脱落，看上去斑驳陆离。一球悬铃木耐煤烟气，所以许多国家的城市中都有种植。

40 ~ 50米 4 ~ 5月 10 ~ 11月

胡枝子　生长在山麓或田野上的落叶灌木。枝条纤细，叶子为复叶，长长的叶柄尽头挂着三枚小叶。夏天开出粉红色的花，秋天结出豆荚状的果实，叶子变成黄色。人们常用胡枝子纤细而又坚韧的枝条做大扫把，或者用来拧篱笆。

2 ~ 3米　7 ~ 8月　10月

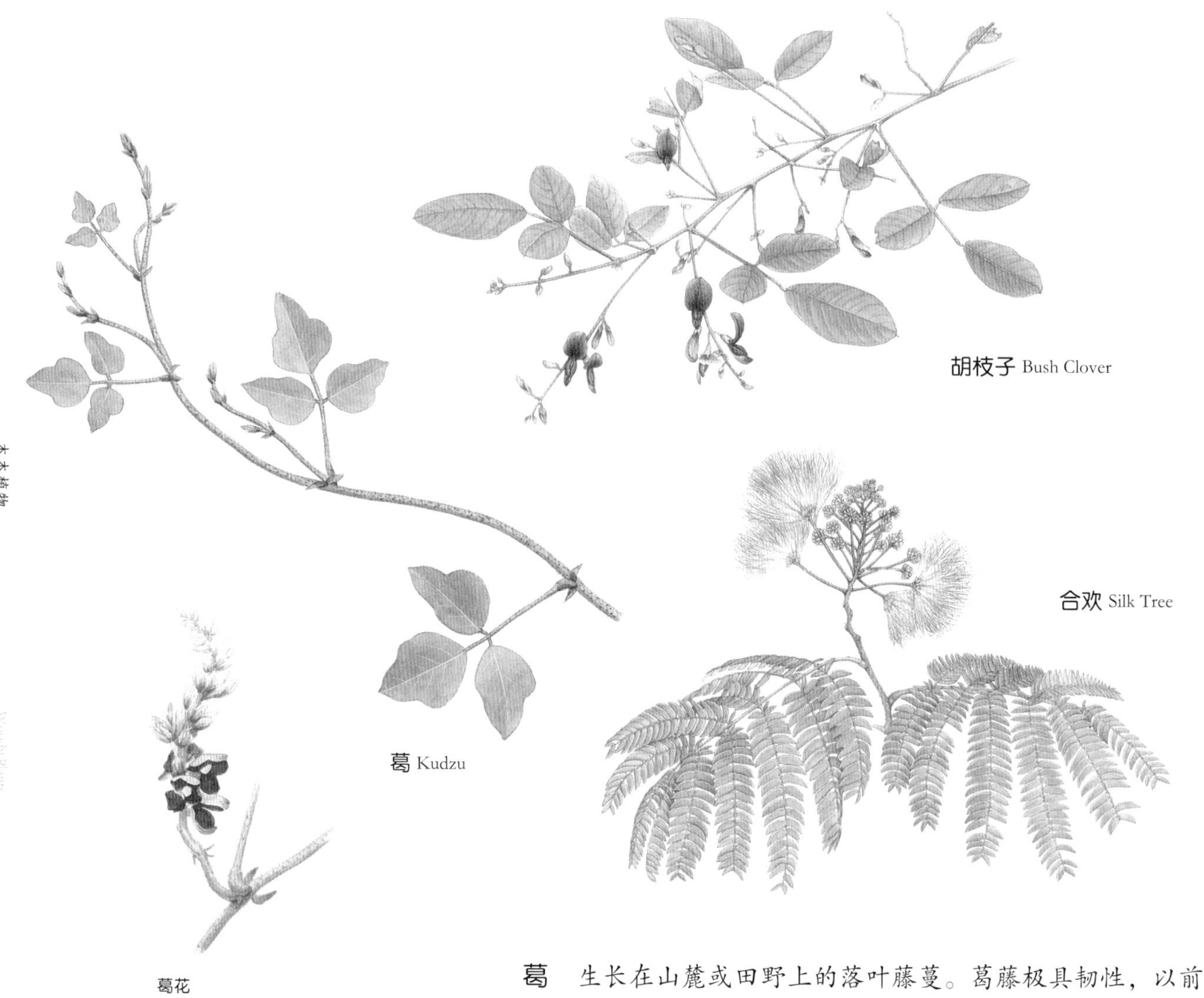

葛　生长在山麓或田野上的落叶藤蔓。葛藤极具韧性，以前人们用葛藤来织布。葛的嫩藤上长有茸毛。葛一般沿地面生长或攀爬着树木生长，有时可将旁边的树木全部覆盖。夏天开紫色的花，果实呈豆荚状。　10 ~ 20米　7 ~ 8月　11 ~ 12月

合欢的果实

合欢　生长在山上或田野里的落叶乔木，也多在公园里种植。叶子柔软，细小的叶片对称生长。到了晚上，相对的小叶会合在一起。初夏，合欢开出胭红刷一样的粉色花团，香气四溢。合欢的果实长得很像豆荚。

3 ~ 15米　6 ~ 7月　10 ~ 12月

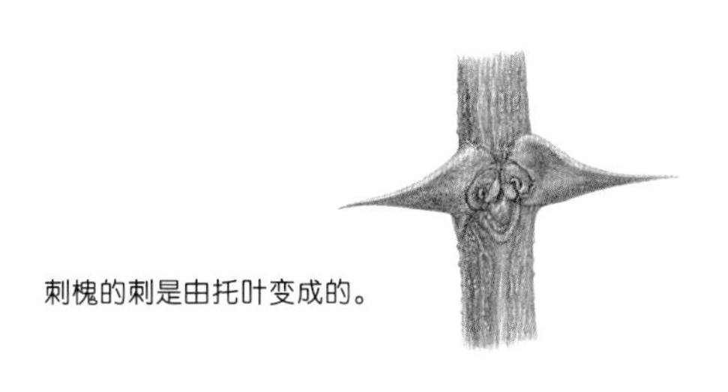

刺槐的刺是由托叶变成的。

刺槐　生长在山间的落叶乔木。枝条上长着锋利的刺。叶子为复叶，小叶片形如鸡蛋，像羽毛一般对称生长。晚春，刺槐开出一串串白色的花，花香浓郁，能飘满整个村子。秋天，刺槐结出豆荚一样的果实。豆荚里面的种子呈扁圆状。秋天落下的干树叶味道也很好闻。　🌳25米　✱5月　🍎9～10月

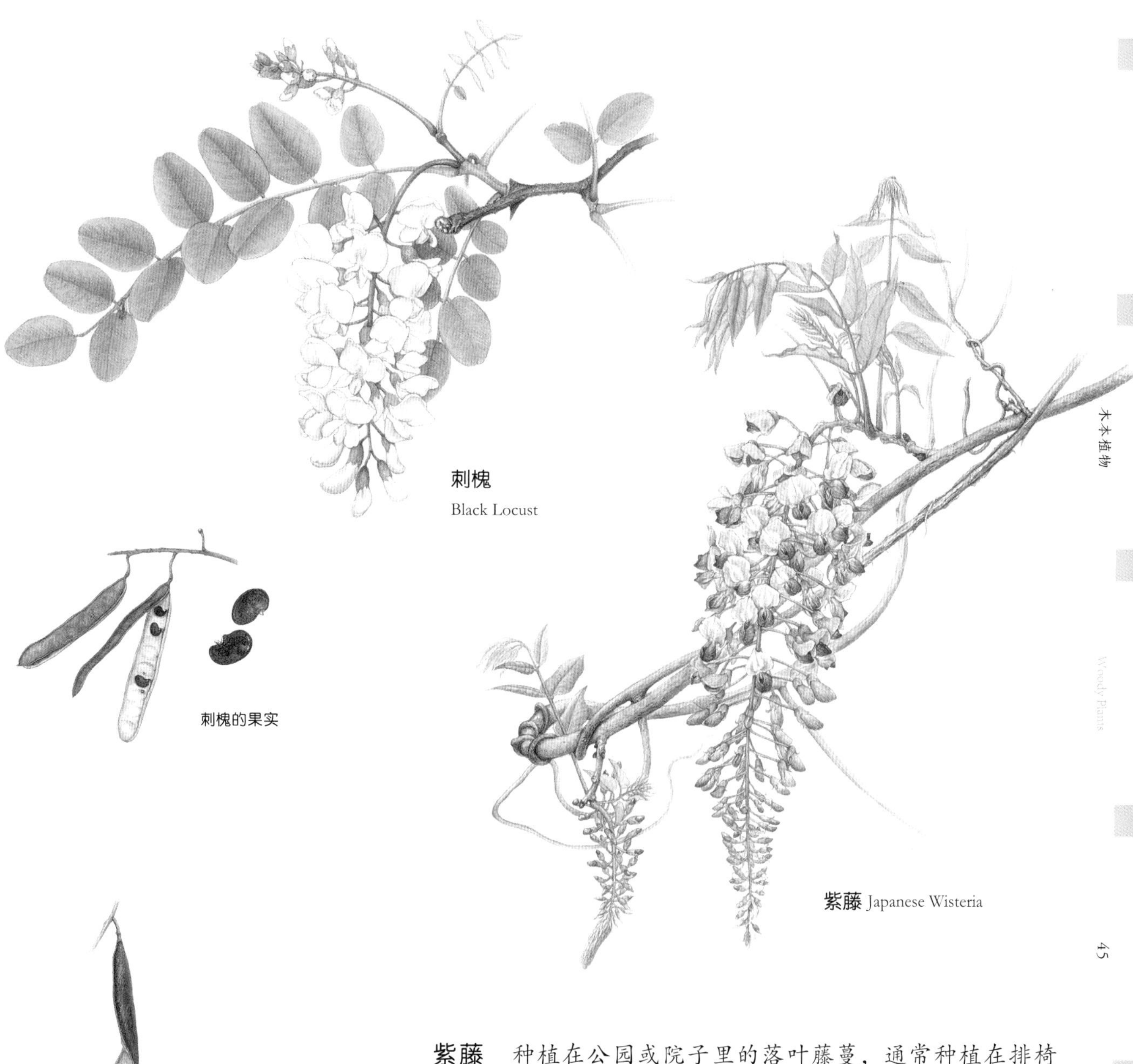

刺槐
Black Locust

刺槐的果实

紫藤 Japanese Wisteria

紫藤的果实

紫藤　种植在公园或院子里的落叶藤蔓，通常种植在排椅旁，供人乘凉。夏天，长长的花穗上开满了花，像葡萄一样垂向地面。花十分艳丽而且带有香味。豆荚状的果实长得像是细长的袋子，完全成熟后会裂开，发出“砰砰”的声音。种子有成人的指甲那么大。　10米　✱4～5月　🍎10～11月

枳（zhǐ） 生长在山麓或村庄的落叶灌木或乔木，常被人们当作篱笆种植。枝条上长有坚硬而锋利的刺。春天开花，花色雪白。枳的果实呈球状，与乒乓球相似，成熟后变成黄色。果皮上附着一层茸毛，果实虽有香味，但是味道酸涩，一般不食用。将尚未完全成熟的枳晒干，可以用来制作治疗风疹的药材。 3 ~ 4米 4月 10月

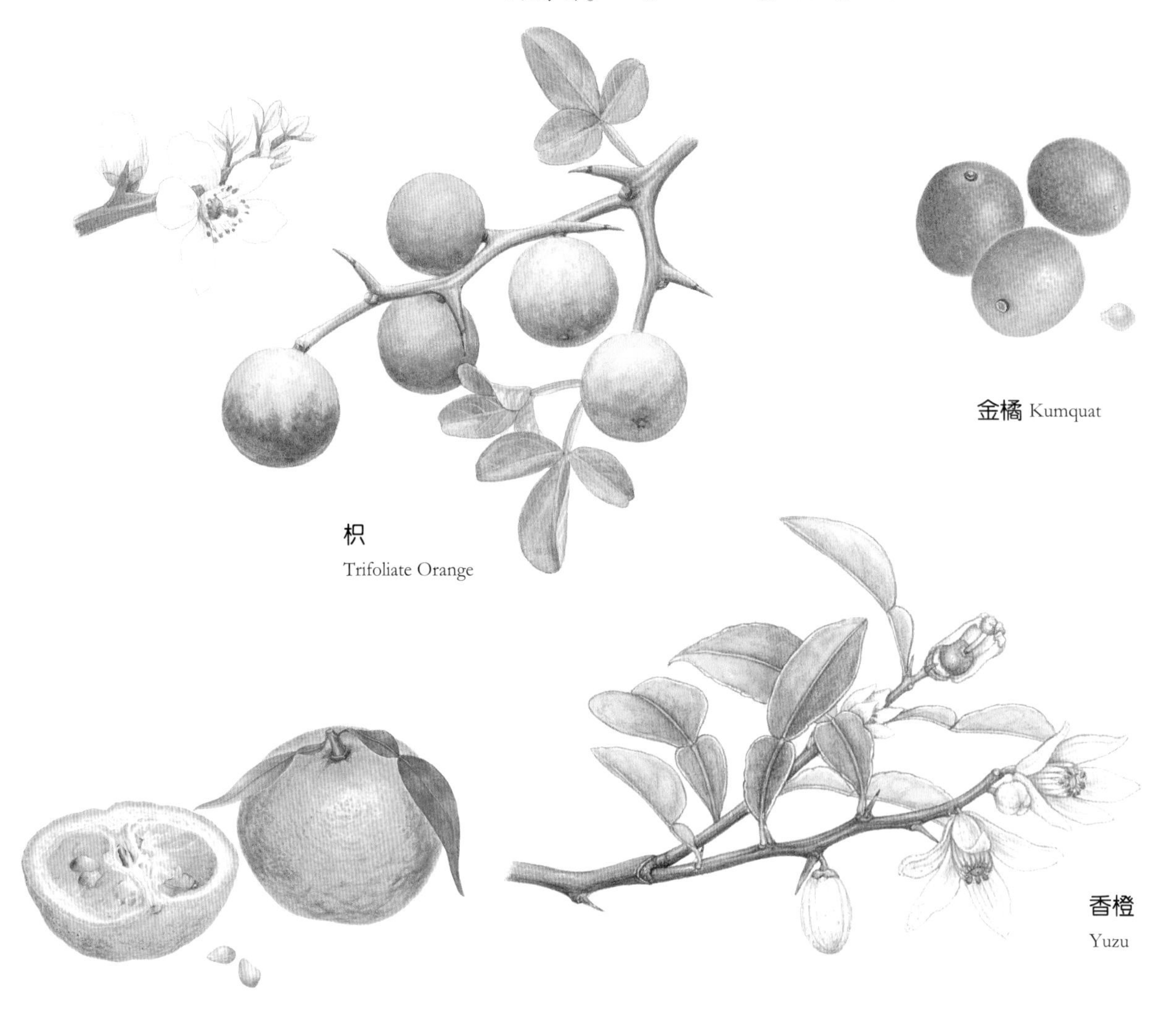

金橘 在中国南方地区种植较多的常绿乔木，有时也被种植在花盆中。果实外表和橘子相似，个头儿只有圣女果那么大。一般带皮吃，籽较多。金橘也被称为“金柑”“金枣”。

2 ~ 3米 7 ~ 8月 12 ~ 3月

香橙 在中国南方地区种植较多的常绿乔木。枝条上长刺。果实个头儿通常比橘子大，皮厚且粗糙，但更有香味。由于香橙口感过酸，无法直接吃，一般会加入白糖，用来泡茶喝。

3 ~ 4米 5月 10 ~ 11月

橘树花

橘 在中国主要种植在长江中下游和长江以南地区的常绿乔木。果实容易剥皮，口感酸甜。初夏，橘树开出香气四溢的白花。橘子起初呈青绿色，晚秋成熟后变成黄色。大棚里从早春直到夏天都可以采摘橘子。

2米 5月 10 ~ 11月

幼果

汉拿峰柑橘 原产于韩国济州岛的常绿乔木。果实顶端突出一截，外形很像韩国的汉拿山，因而得名“汉拿峰柑橘”。与橘子相比，汉拿峰柑橘个头儿更大，皮厚汁多。

2 ~ 3米 5月 2月

橘 Mandarin Orange

汉拿峰柑橘

柠檬 Lemon

橙 Orange

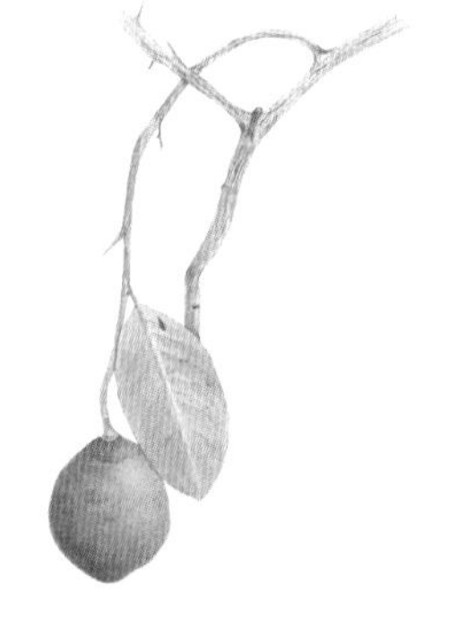

柠檬在果皮还是绿色的时候就被摘下，摘下后需放置一段时间。

柠檬 原产于喜马拉雅山山麓地区的常绿乔木，现在印度、墨西哥和地中海地区的产量较高，中国南方也有种植。果实味道极酸，可代替食醋作调味品。 3 ~ 4米 5月 1月

橙 从中国南方到印度一带都有种植的常绿乔木。果实个头儿通常比橘子大，汁多，口感甜，但是果皮较难掰开。现在巴西的橙子产量最高。 3米 5月 1 ~ 2月

 大戟科

橡胶树 生长在亚马孙河边的常绿乔木，东南亚及中国热带地区也有广泛种植。从树干上接取的白色汁液可以炼成橡胶。东南亚地区橡胶产量最高。 20 ~ 40米

在橡胶树树干上割一道口子，便可以接取橡胶汁。

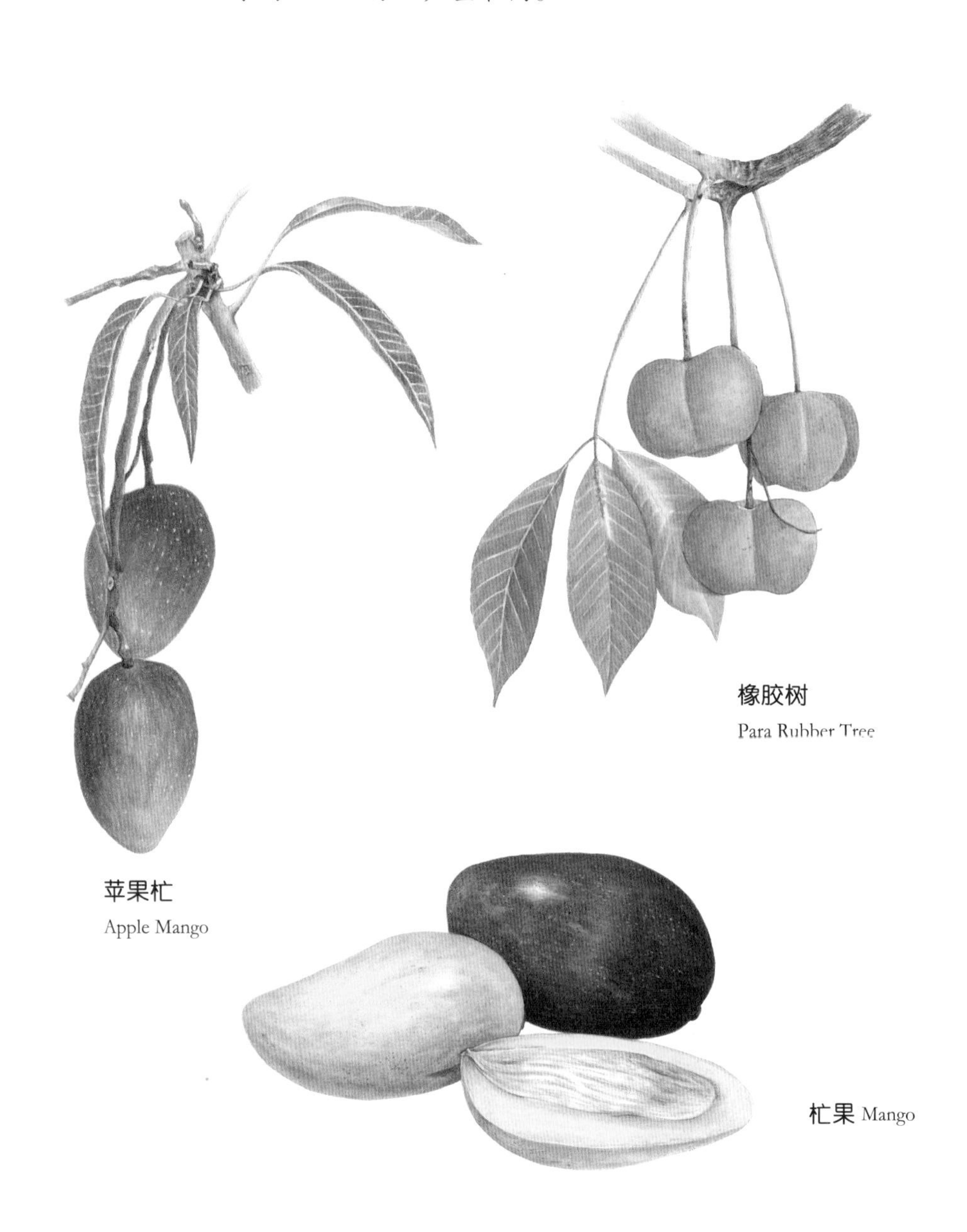

橡胶树
Para Rubber Tree

苹果杧
Apple Mango

杧果 Mango

漆树科

苹果杧 主要种植在亚热带地区大棚中的常绿乔木。果实呈淡红色，外形有点儿像苹果，一般在9月到10月份成熟，采摘后放置一段时间，口感会更甜。 15 ~ 18米

杧果 原产于印度的常绿乔木，现在中国也有广泛种植，俗称“芒果”。果实呈黄色，汁多，甜度高，内有一个硕大的核。杧果树外形高大，树干直，最高可达30米。 10 ~ 30米

黄杨科

黄杨　生长在山间的常绿灌木或乔木。多种植在绿地、花圃周围当作篱笆。黄杨生长速度慢，修剪后不易变形。叶片形状与豆芽顶端类似，叶片厚，润滑有光泽。早春时开黄绿色的花，花还带有香味，引人注目。

1 ~ 5米　3 ~ 4月　6 ~ 7月

尚未成熟的果实　成熟的果实和种子

南蛇藤 Oriental Bittersweet

黄杨 Common Box Tree

冬青卫矛 Japanese Spindle Tree

卫矛科

南蛇藤　生长在向阳山地或田野中的落叶藤蔓。初夏开花，果实长得像颜色艳丽的黄珍珠。秋天果实完全成熟后，坚硬的外壳会裂成三瓣，露出红色的种子。

10米　5 ~ 6月　10月

冬青卫矛　在中国南北各省均有种植的常绿灌木。多种植在公园或花圃中。树叶如毛革一样厚实，有韧性和光泽，且极为耐寒。在严寒的冬季，树叶如同冻死了一般萎靡，但第二年回暖后，树叶又能自然复苏。秋天，结出通红的果实。果实成熟后会裂成四瓣，露出橘黄色的种子。

3米　6 ~ 7月　10 ~ 11月

被子植物门　双子叶植物纲　槭树科

鸡爪槭　生长在山谷里的落叶乔木。人们为了观赏鸡爪槭美丽的树叶，也常将其种植在公园或庭院里。叶子到了秋天会变成红色。鸡爪槭晚春开花，果实呈“∧”状，带有两个“小翅膀”。到了秋天，果实就如同风车一样，旋转着飞走了。

10米　5月　9～10月

果实

日本七叶树 Japanese Horse Chestnut

鸡爪槭 Smooth Japanese Maple

七叶树科

日本七叶树　种植在公园或路旁的落叶乔木。长长的叶柄上，长着七枚硕大的叶片。初夏时会开出一串直挺挺、圆锥状的花。果实坚硬，呈椭圆状。成熟后，果实会裂成三瓣，露出栗子般的种子，看上去非常美味，但其实有毒，不能食用。

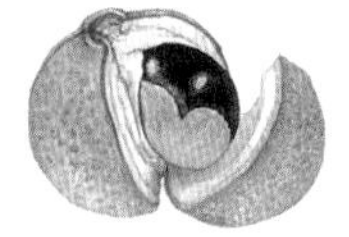

果实和种子

30米　5～6月　9～10月

锦葵科

木槿 人们为了赏花而种植的落叶灌木，常被种植在公园、运动场四周或路边。木槿花可以从夏天一直开到秋天，早上绽放，傍晚时分花瓣会卷起来，花整朵凋落。木槿共有五片花瓣，粉红色的木槿花最常见。 3米 8～9月 10～11月

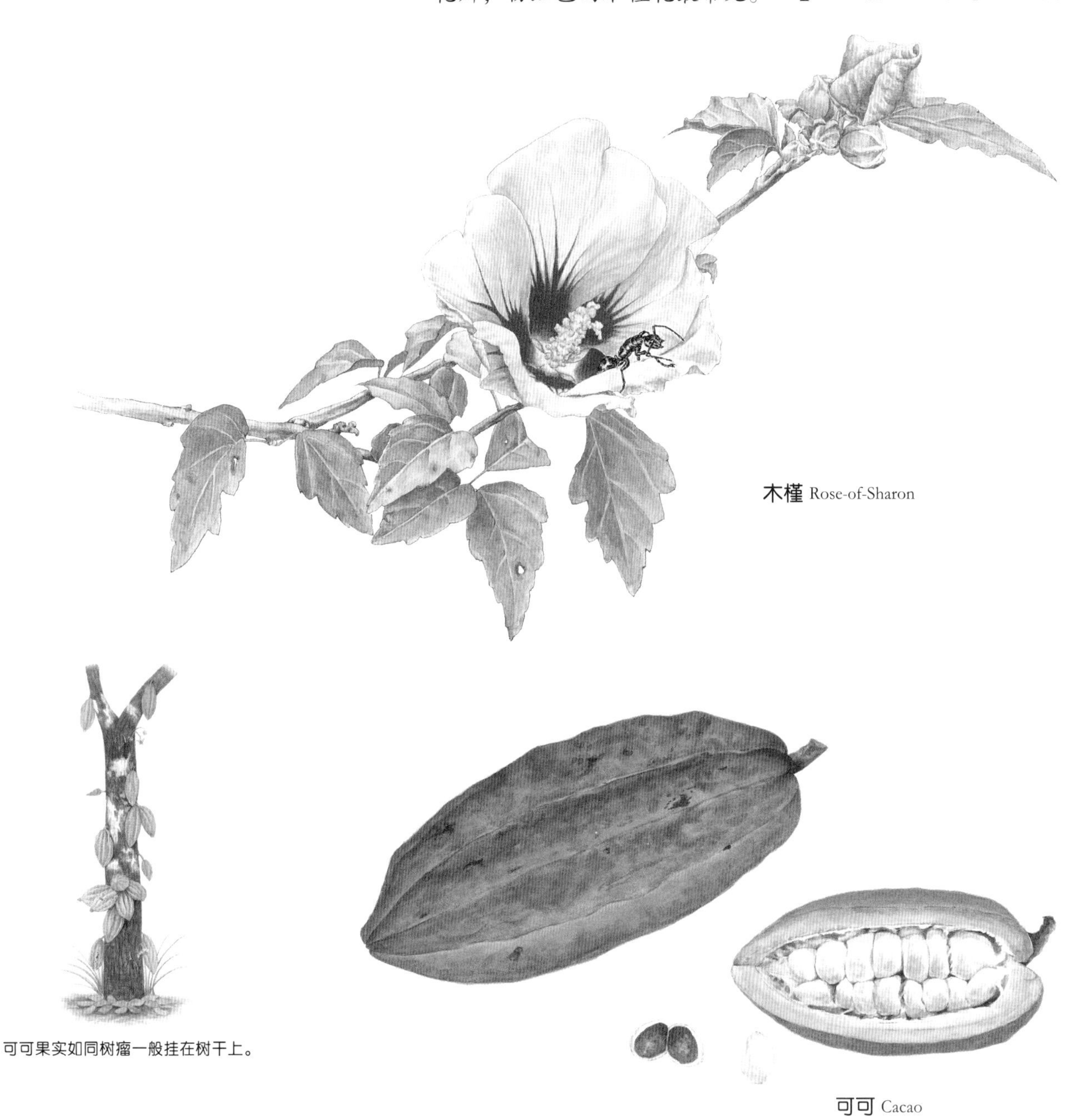

木槿 Rose-of-Sharon

可可果实如同树瘤一般挂在树干上。

可可 Cacao

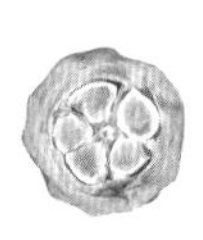

可可果实里有五排种子紧密地排在里面。

梧桐科

可可 原产于亚马孙雨林的常绿乔木，目前在西非地区种植得最多。果实像南瓜一般长长的，里面长满密密麻麻的种子。人们用这种种子制成可可，可可是制作巧克力的原料。

5～10米

被子植物门　双子叶植物纲　葡萄科

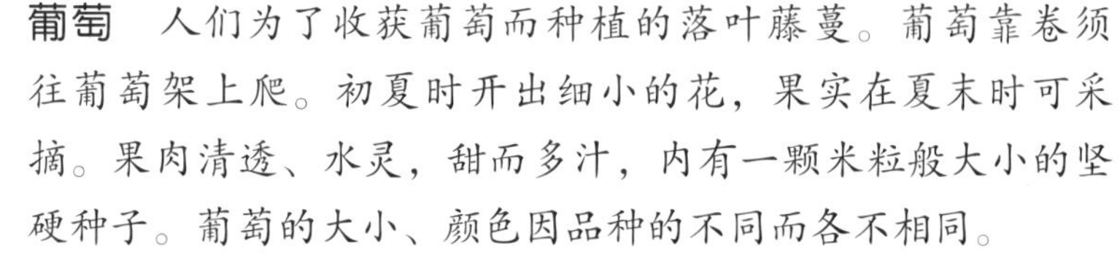

葡萄　人们为了收获葡萄而种植的落叶藤蔓。葡萄靠卷须往葡萄架上爬。初夏时开出细小的花，果实在夏末时可采摘。果肉清透、水灵，甜而多汁，内有一颗米粒般大小的坚硬种子。葡萄的大小、颜色因品种的不同而各不相同。

10米　5 ~ 6月　8 ~ 11月

巨峰　青葡萄　红葡萄

葡萄 Grape

山葡萄 Amur Grape

山葡萄　生长在山间的落叶藤蔓。靠卷须攀爬在其他植物上生长。山葡萄的果实秋天成熟后变成紫色，长得与葡萄相似，但个头儿要比葡萄小，味道比葡萄浓郁，种子多，霜打过后会更甜。山葡萄又被称作“野葡萄”。

10米　6 ~ 7月　9 ~ 10月

卷须如同吸盘一般
紧紧地贴在墙上。

爬山虎 攀爬在墙上或树上的落叶藤蔓，原本生长在山里，现多种于院墙下。爬山虎的卷须会如吸盘一般，紧紧地吸在墙上，不易掉下。即便是光滑的墙壁，也能附着在上面。到了秋天，叶子会变红，并结出山葡萄一样的果实。叶子凋谢的时候，叶柄不会脱落，只有叶片脱落。爬山虎能活数十年。

10米 6 ~ 7月 9 ~ 10月

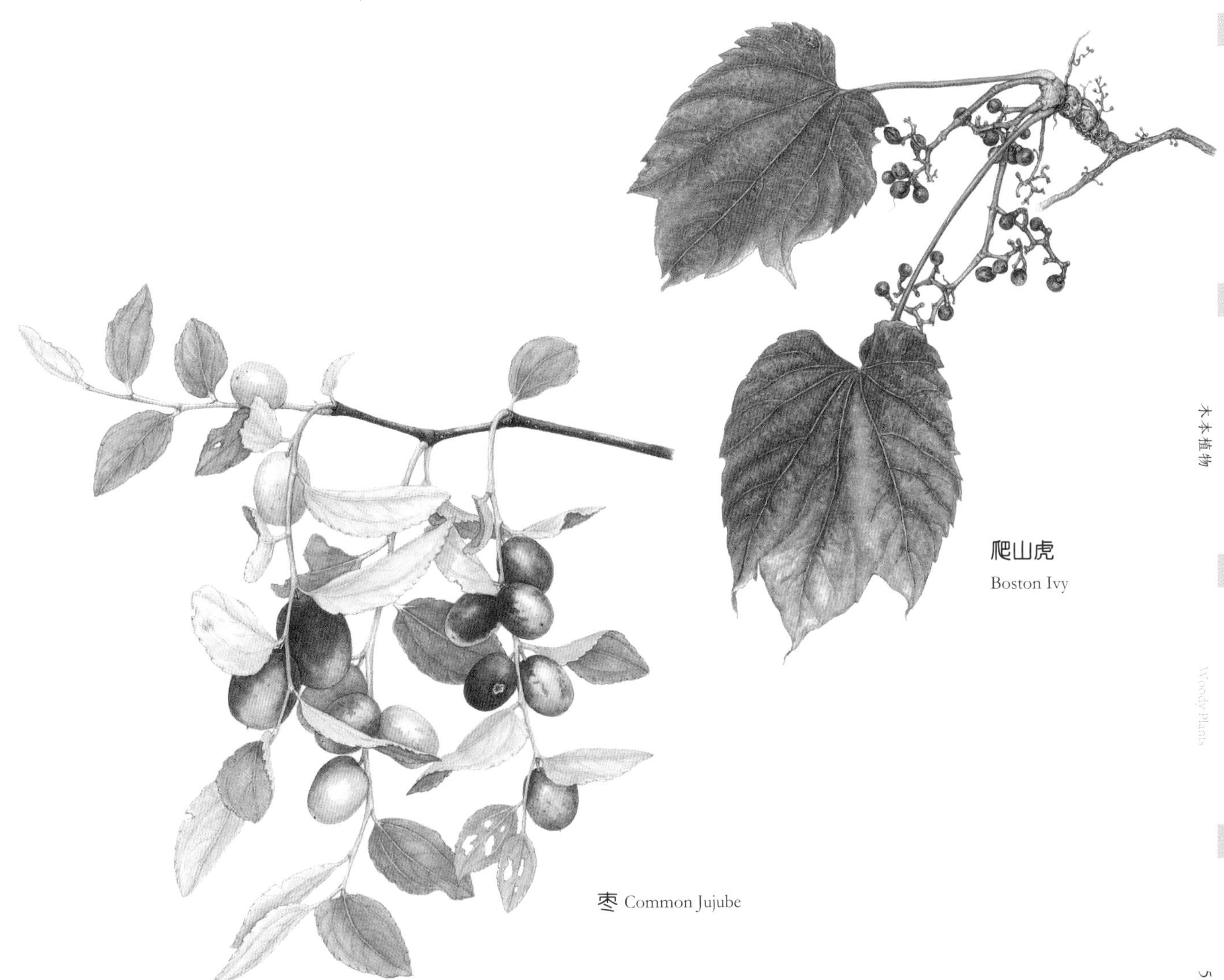

爬山虎
Boston Ivy

枣 Common Jujube

鼠李科

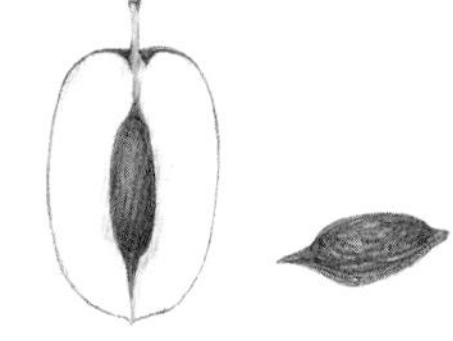

每颗枣里都
有一枚坚硬
的枣核。

枣 人们为了收获枣子而种植的落叶灌木或乔木。有的人家会在家附近种一两棵。其他树木变得郁郁葱葱了，枣树才开始冒芽。初夏，枣树会开出如同星星般的黄色花朵。秋天，枣子变红，果皮光滑，每颗枣子里都有一枚坚硬的枣核。

5 ~ 8米 6月 9 ~ 10月

软枣猕猴桃 生长在山间的落叶藤蔓。软枣猕猴桃的枝条缠在其他树上生长。初夏，开出白色的花。花有五片白色花瓣，零散地垂在藤上。秋天结果，果实像小个儿猕猴桃一样，但果皮上没有毛，味道十分香甜。软枣猕猴桃在早春长出的嫩叶可以作为野菜食用。 10米以上 5～6月 10～11月

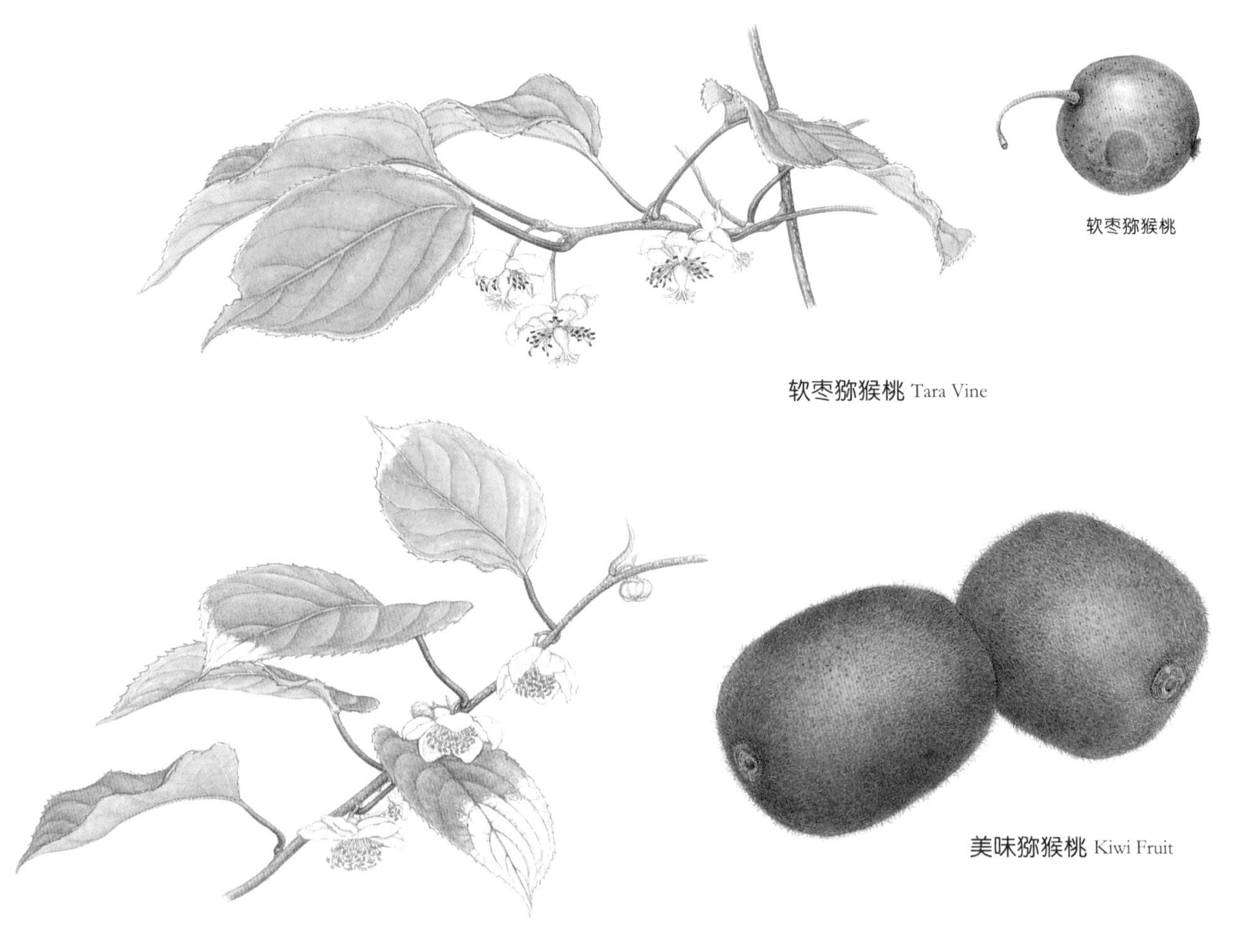

软枣猕猴桃

软枣猕猴桃 Tara Vine

美味猕猴桃 Kiwi Fruit

葛枣猕猴桃 Silver Vine

葛枣猕猴桃

葛枣猕猴桃 生长在山谷里的落叶藤蔓。叶子上如同染上颜料般，一块一块地发白。藤条则与软枣猕猴桃的相似。

5～10米 6～7月 10～12月

美味猕猴桃 原产于中国，常被称为“奇异果”。外表乍一看有些像土豆，果皮上长满褐色的茸毛。美味猕猴桃熟透后，果肉会变得稀软，但始终保持草绿色，果肉内布满黑色砂砾般的小种子。藤条与软枣猕猴桃的相似。

10米以上 5～6月 11月

山茶科

山茶 在中国南方地区广泛栽培的常绿乔木。叶子偏厚，润滑有光泽。早春时树梢会开出鲜红色的花，花蕊为鲜黄色。花谢时会整朵掉落。果实先变红后再变成褐色，最后裂成三瓣。果实里面有两三颗褐色的种子。

3 ~ 9米 11月~第二年5月 9 ~ 10月

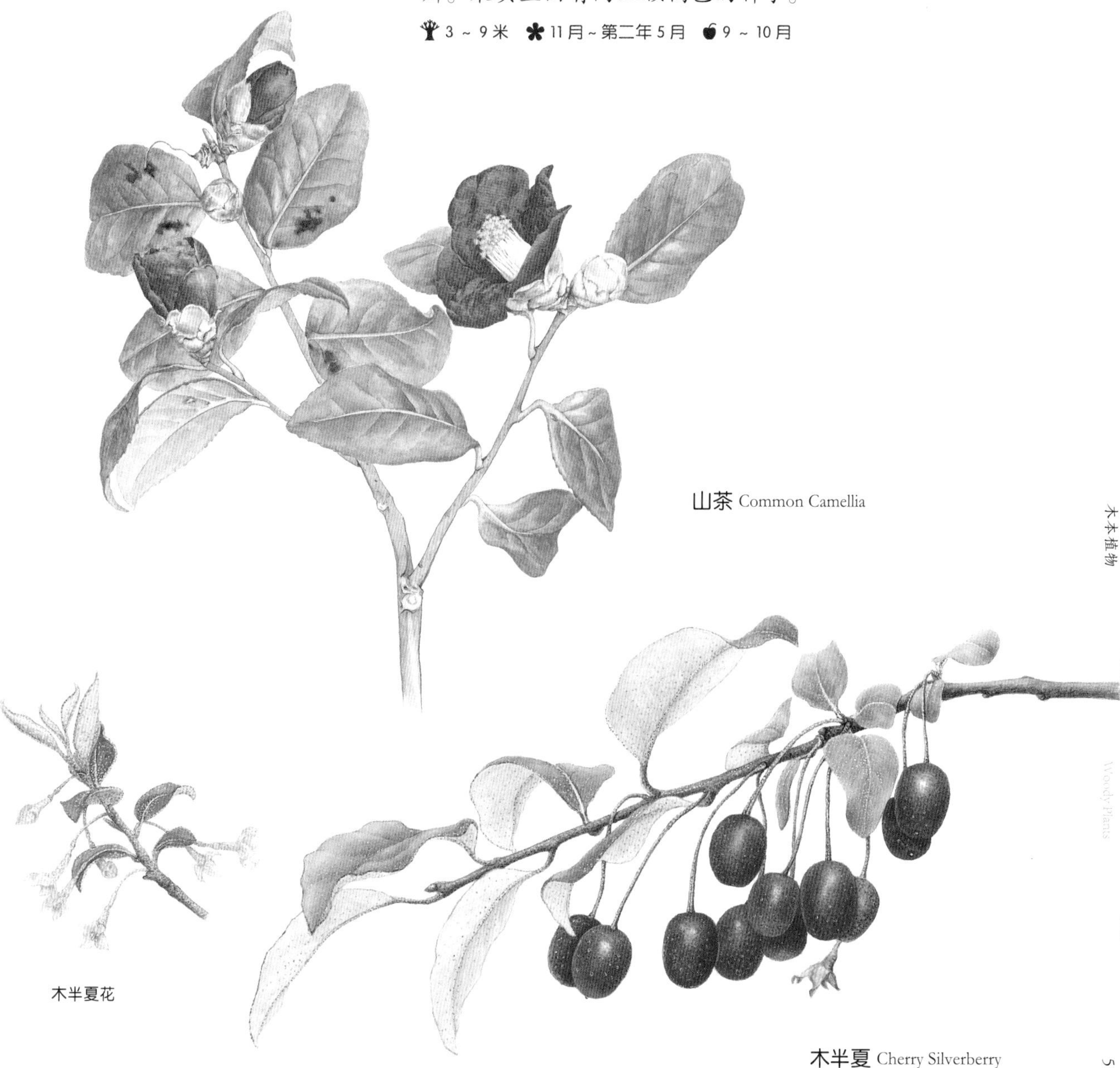

山茶 Common Camellia

木半夏 Cherry Silverberry

胡颓子科

木半夏 生长在田野或山间的落叶灌木。叶子背面略带银白色，上边长有褐色斑点。春天开小喇叭一样的花。初夏果实成熟后，果肉变得松软，里面有一颗硕大修长的种子。果实味道有点儿甜，又带些酸涩。 2 ~ 4米 4 ~ 5月 5 ~ 7月

木半夏种子

被子植物门　双子叶植物纲　石榴科

石榴　原产于伊朗的落叶乔木或灌木。中国从汉代时就有种植石榴的记载。石榴成熟后果皮变得鲜红，熟透时果皮会自动裂开，里面满是水灵清透、微微泛红的石榴籽。石榴花十分艳丽，人们为了观赏也常会在院子里种上一两棵石榴树。秋天，石榴树的叶子会变黄。 3～6米 5～6月 9～10月

石榴花

花萼底部会长出石榴。

石榴顶端还留有花萼。

石榴 Pomegranate

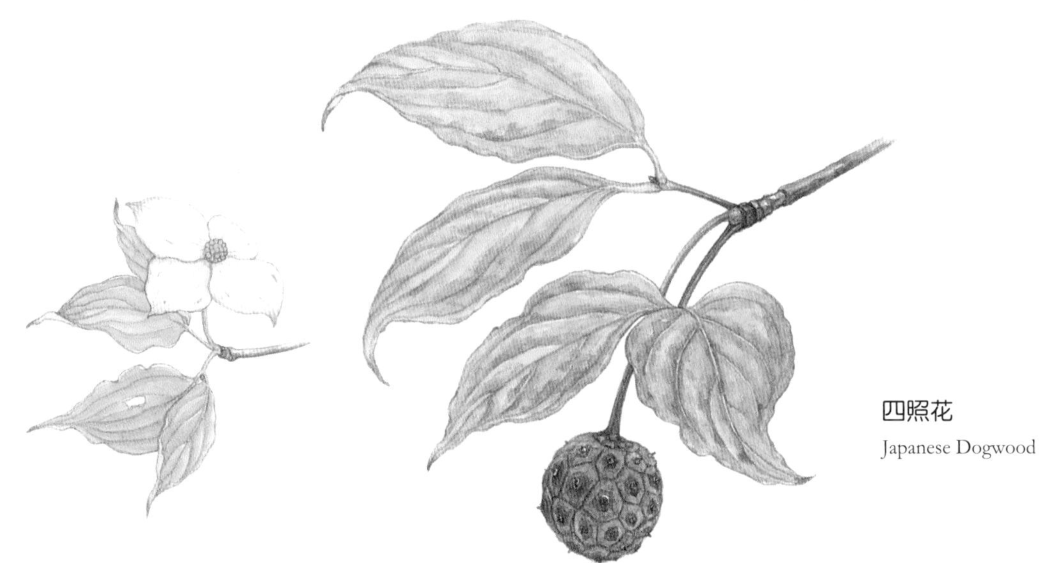

四照花
Japanese Dogwood

山茱萸科

四照花　生长在山间的落叶乔木，多种植在大城市的公园里。叶子修长，末端尖尖的，成对生长。初夏开花，花色起初为绿色，随后逐渐变白。呈“十”字模样的四片“花瓣”其实是由叶子转化的，作用是保护花，中间的球状物才包含真正的花。秋天，四照花结出像草莓一样的鲜红果实。

7米 6月 9～10月

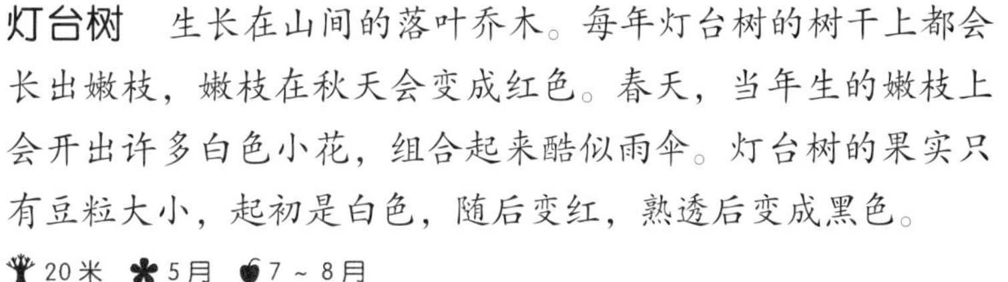

灯台树　生长在山间的落叶乔木。每年灯台树的树干上都会长出嫩枝，嫩枝在秋天会变成红色。春天，当年生的嫩枝上会开出许多白色小花，组合起来酷似雨伞。灯台树的果实只有豆粒大小，起初是白色，随后变红，熟透后变成黑色。

20米　5月　7～8月

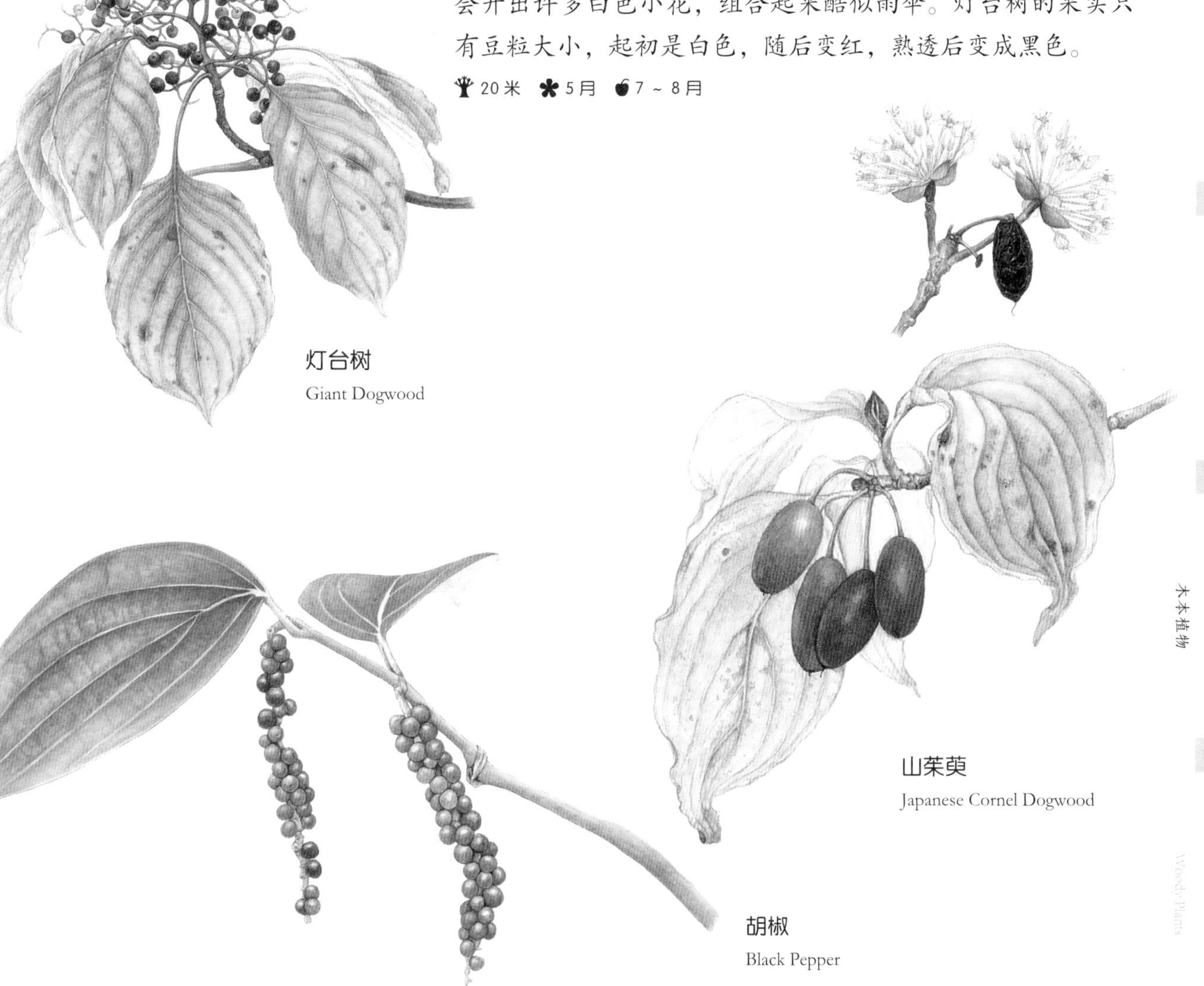

灯台树
Giant Dogwood

山茱萸
Japanese Cornel Dogwood

胡椒
Black Pepper

山茱萸　多种植在公园里的落叶乔木或灌木，用于观赏。人们也会为了收获山茱萸的果实而种植。早春，山茱萸先开花后长叶，花朵如同火花般绽放。果实秋天成熟，即使到了冬天，红艳艳的果实仍会挂在树上。挖去种子的果实晒干后，可以入药。　7米　3～4月　9～10月

胡椒科

胡椒　人们为了收获胡椒而种植的常绿藤蔓。果实的直径大约为5毫米，外表与山葡萄类似。胡椒成熟后会变成暗红色，尚未完全成熟的青胡椒晒干后便是我们常吃的胡椒了。胡椒粉味道辛辣，香气浓郁。胡椒的原产地是南亚和东南亚地区，在2000多年前，印度人就把胡椒当作调味料来使用。

4米

迎红杜鹃 生长在向阳山麓地带的落叶灌木，也常被种植在公园或田野里。早春，先开粉红色的花再长叶。花瓣极薄，几乎可以透过前一枚花瓣看到后一枚。迎红杜鹃的花可以食用，用花瓣泡的酒被称为“杜鹃酒”。

2 ~ 3米 4 ~ 5月 9 ~ 10月

君迁子 Date Plum

大字杜鹃 False Rosebay

迎红杜鹃 Korean Rosebay

大字杜鹃 生长在山间的落叶灌木。四月中旬左右，开粉红色的花，比迎红杜鹃开花晚，同时长出叶子。花瓣比迎红杜鹃的厚，内侧有深红色斑点。大字杜鹃的花有毒，不能食用。大字杜鹃常被种植在花田或花盆中，稍稍修剪，便能长得很好，所以很适合作绿化树。 2 ~ 5米 4 ~ 5月 9 ~ 10月

柿树科

君迁子 生长在低矮山坡上的落叶乔木。叶子和花都与柿树极为相似，果实的外表也和柿子类似，但个头儿却小得多，只有橡子那么大。秋天，果实成熟后变成浅黄色，但味道却十分酸涩。即便完全熟透，味道仍比较酸涩。只有经过霜打，果实变得皱巴巴的，这时口感才会变甜。深秋将君迁子摘下来放入缸里，待其发酵变黑后再吃。 10米 6月 10 ~ 11月

果实呈青色，尚未成熟。

熟透了，变松软。

外皮变得皱巴巴的。

柿 人们为了收获柿子而种植的落叶乔木。叶子厚且光亮。晚春时开出小碟子大小的黄色花朵。成熟的柿子呈橘色，口感很涩；而熟透的柿子则变成绛红色，吃起来像糖一样甜。甘柿的果实坚硬，清甜不涩口。

6 ~ 14米 5 ~ 6月 9 ~ 10月

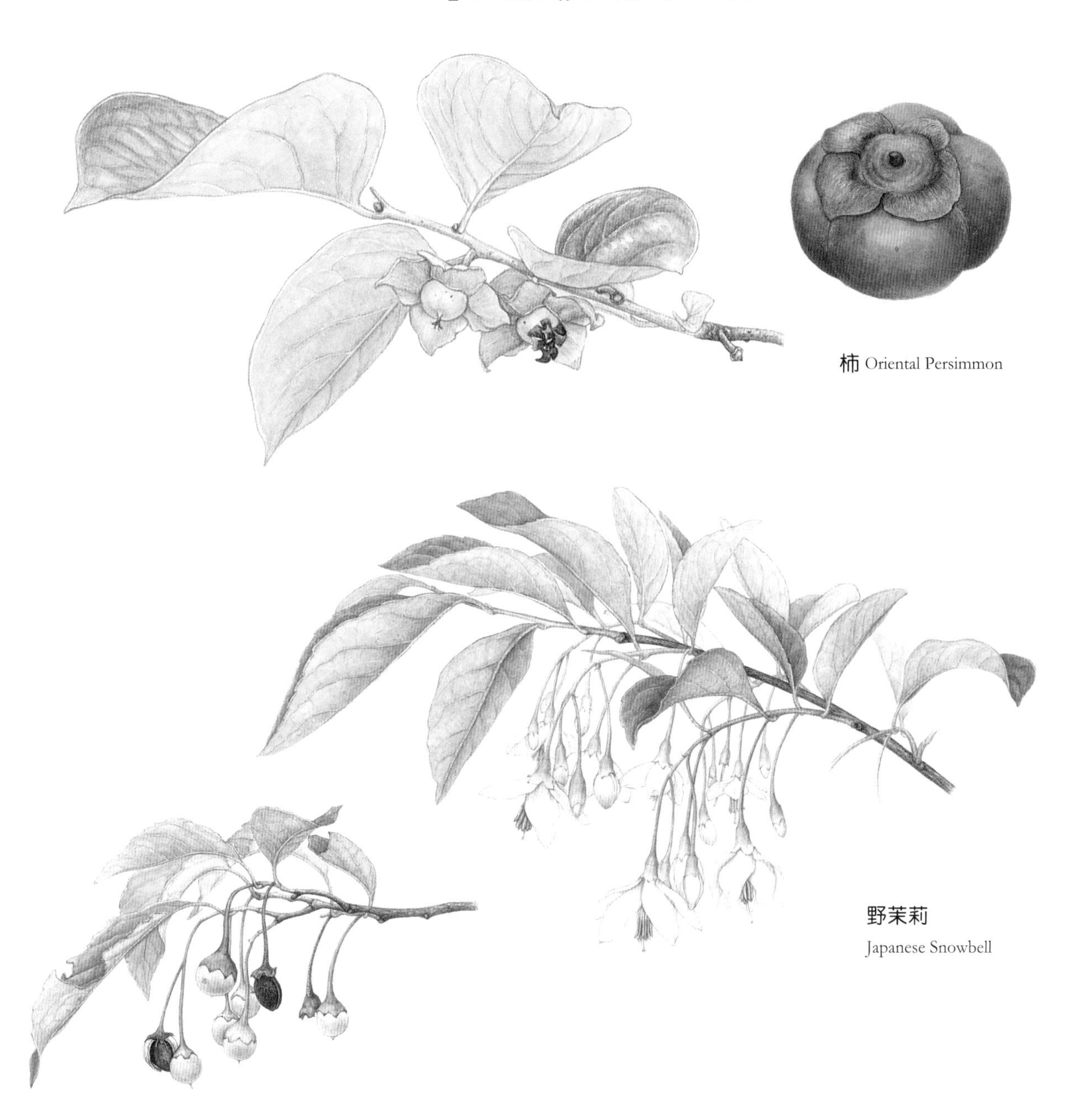

柿 Oriental Persimmon

野茉莉
Japanese Snowbell

安息香科

野茉莉 生长在山林中的落叶乔木，也常被种植在公园里。花为白色，形似风铃向下垂，有香味。果实形似鸡蛋，秋季成熟，呈褐色，并露出黑色的种子。 4 ~ 10米 5 ~ 6月 9月

花曲柳的果实

花曲柳　生长在山林中的落叶乔木。树干有白色花纹，复叶对生。春季时开出小花，果实极多，且又尖又长，像风车一样飞舞。用枝条熬水，水会变成绿色。

10米　4～5月　9月

花曲柳 Chinese Ash

水蜡树 Border Privet

寄生在水蜡树上的白蜡蚧，又被称为“白蚧虫”。将其吐的蜡收集起来，可做蜡烛。

水蜡树　生长在山麓地带的落叶灌木，也被种植在公园里，常被种成紧密的篱笆。初春时开出细长洁白的花，花香馥郁。果实略圆，秋季成熟，形似黑豆。因为水蜡树容易吸引白腊蚧（jiè），也被叫作“白蜡子”。　2～4米　5～6月　10月

连翘　生长在向阳山麓地带的落叶灌木，常在公园里被密集种植，成为篱笆，也会被种植在马路边。先开花，后长叶，枝条下垂，着地即可生根。 2 ~ 3米　3 ~ 4月

连翘 Weeping Forsythia

油橄榄 Olive

紫丁香 Lilac

紫丁香　常被种植在苗圃和公园里的落叶灌木或乔木，春天开花，馥郁芬芳，略小的紫色花朵聚成大花束。叶子略圆，叶末略尖。果实在秋季成熟，干燥后会裂开。

2 ~ 4米　4 ~ 5月　10月

油橄榄　人们为了收获橄榄而种植的常绿乔木，常见于地中海地区，中国长江以南各地区也多有栽培。夏天开出白花，有香味。油橄榄果实可在晚秋时节采摘，个头儿近似红枣，可以用来压榨橄榄油。 8 ~ 15米　5 ~ 6月

白棠子树 生长在山林中的落叶灌木，也常在公园里种植。夏天开花，花朵很小，不太起眼。果实在秋天成熟，像散发微弱紫光的珠子，初冬才会掉落。

1 ~ 2米 7 ~ 8月 9 ~ 10月

毛泡桐 Princess Tree

白棠子树 Purple Beautyberry

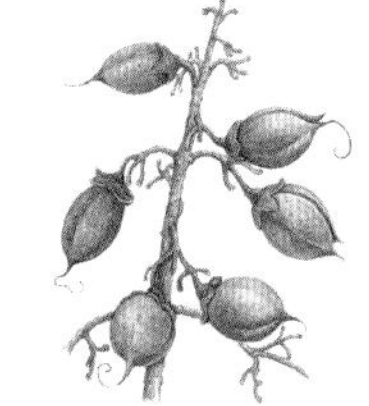

玄参科

毛泡桐 常被种植在庭院里或者围墙外的落叶乔木，叶子如手绢大小。初夏刚长嫩叶时就会开花，花朵呈淡紫色且花香馥郁，果实像小个的鸡蛋。秋季，晒干后的果实会露出白色种子，种子随风飞散。种子比芝麻略小，有一层薄薄的“翅膀”。十五年树龄以上的毛泡桐可作为木材用。材质轻，不易生虫，因此常被用来制作家具。 15米 5 ~ 6月 10月

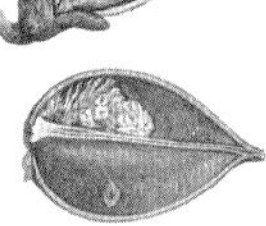

果实成熟后裂成两瓣，里面的细小的种子会飞出来。

紫葳科

凌霄 常被种植在庭院中的落叶藤蔓。茎节处会长出像胡子一样的根，攀爬植物或墙壁向上生长。盛夏时会开出喇叭状的橘黄色花朵，无香味，花凋谢时连着花柄脱落。凌霄花有毒，触摸后必须立即洗手。 10米 7 ~ 9月 10 ~ 11月

凌霄 Chinese Trumpet Creeper

小粒咖啡 Coffee Tree

茜草科

小粒咖啡 人们为了收获咖啡豆而种植的常绿乔木或灌木。原产于埃塞俄比亚，现在世界上最大的种植国是巴西。中国的广东、广西、云南、海南等地也有种植。五月时开白花，有香味。果实在秋天成熟，呈红色，每粒果实内有两颗种子，即咖啡豆。 6 ~ 8米 5月 10 ~ 12月

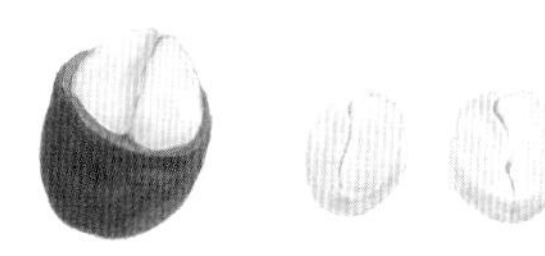

一粒果实里有两颗种子。

被子植物门　双子叶植物纲　忍冬科

欧洲荚蒾（mí） 常被种植在公园或花园的落叶灌木。初夏时会开出球状的白花束，因花形类似佛头而又名“佛头花”。欧洲荚蒾多为不孕花，无法结果，扦插易成活。花谢时，花瓣像碎片散落，只留下花茎。易跟绣球花混淆。

2～4米　5～6月

单子叶植物纲　百合科

菝葜（bá qiā） 生长在山林中的落叶藤蔓，缠绕在其他树木上生长。菝葜的藤蔓有刺，叶子略圆，稍厚，有光泽。春天，开出黄色的小花。果实秋季成熟，泛红色光泽，清脆无味，别名“冷饭头”“硬饭头”“红灯果”。

2～3米　4～5月　10～11月

草本植物

双子叶植物纲 荨麻目 桑科

葎（lǜ）草 生长在路边和山脚的一年生或多年生草本植物，在垃圾堆和臭水沟旁边也会见到。藤蔓上长有小刺，常会依附在别的东西上。如果皮肤被葎草刮到，就会觉得又疼又痒。叶子长得像大枫叶，在夏季盛开青绿色的花。葎草也被叫作“五爪龙”“大涩拉秧”“割人藤”“拉拉秧”等。

5米 7～8月 9月

葎草长得很快，会迅速将周围的土地覆盖。

皱叶酸模
Curly Dock

葎草 Japanese Hop

蓼目 蓼科

皱叶酸模 生长在水田田埂、小河边、草地里的多年生草本植物，喜潮湿。叶子狭长，像海带一样。初夏，盛开草绿色的花朵。到了夏末，心形果实成串挂着，清风拂过，果实就会发出“当啷当啷”的声音。皱叶酸模也被叫作“牛舌片”“羊蹄叶”。 30～120厘米 5～7月 7～8月

辣蓼 生长在水边的一年生草本植物，常见于水田田埂和河沟边。茎下半部分匍匐生长，上半部分直立生长。叶子像柳叶一样又长又尖，摘下叶子放进嘴里嚼一嚼，舌头会被辣得发麻。辣蓼的英文名称是“水胡椒”的意思。初夏，盛开长长的粉红色花穗。 40 ~ 100厘米 6 ~ 9月 9月

香蓼 生长在池塘或沼泽边的一年生草本植物。深粉色的花穗格外漂亮，香气也格外浓烈。茎上长有软毛。手碰到茎叶，会觉得黏糊糊的，因此又名“粘毛蓼”。

40 ~ 120厘米 6 ~ 9月 9月

香蓼的种子在成熟的过程中，颜色由红色逐渐变为黑色。

酸模叶蓼 遍布旱田田埂和小溪边的一年生草本植物。长得高的植株可达到1米。叶子上长有黑色的斑点。从夏季到秋季，白色、粉红色的花穗都半垂着，每个花穗上都密密麻麻地附着米粒般的小花。酸模叶蓼也叫作“旱苗蓼”“八字蓼”“水里红”。 40～100厘米 ✱6～9月 9月

荞麦 Buckwheat

酸模叶蓼 Pale Persicaria

荞麦 种植在旱田中的一年生草本植物。茎是红色的，叶子呈三角形。夏天时会盛开白色的花朵，到了秋天，三角形的果实成熟后变成黑色。荞麦从播种到收获只需要60天。如果种子成熟后不加管理，会自发一个个掉落、扎根。荞麦去掉坚硬的外皮，磨成粉，可以用来做面条和凉粉。

60～90厘米 ✱7～10月 9～11月

荞麦的果实和种子

刺蓼 生长在路边和山野中的一年生或多年生蔓生草本植物。刺蓼的藤蔓和叶子类似杠板归，花朵与戟叶蓼的很像。夏季，盛开美丽的粉花。藤蔓上长有钩子一样的刺，被刺到会感觉火辣辣地疼。 1 ~ 2米 7 ~ 8月 9月

刺蓼

杠板归 Asiatic Tearthumb

戟叶蓼 生长在水边的一年生草本植物，常见于向阳的井边或水沟旁。茎在地面上匍匐生长，茎节处会长出新根。小小的花朵从夏末盛开到秋天，花朵的颜色为白色或粉红色。

1米 8 ~ 9月 10月

戟叶蓼
Korean Persicary

杠板归 生长在路边和山野中的一年生蔓生草本植物。藤上长有小刺，常会依附在别的植物上。叶子呈三角形，一串果实从一片叶上伸出来，长出果实的地方像人的肚脐一样往里凹。果实像小个儿的山葡萄，随着逐渐成熟，颜色会由蓝色变为黑色。

1 ~ 2米 7 ~ 9月 10月

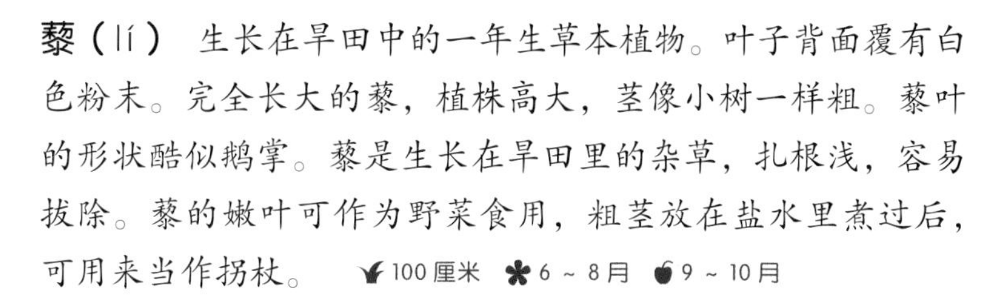

藜的叶子酷似鹅掌。

藜（lí） 生长在旱田中的一年生草本植物。叶子背面覆有白色粉末。完全长大的藜，植株高大，茎像小树一样粗。藜叶的形状酷似鹅掌。藜是生长在旱田里的杂草，扎根浅，容易拔除。藜的嫩叶可作为野菜食用，粗茎放在盐水里煮过后，可用来当作拐杖。 100厘米 6～8月 9～10月

藜 White Goose-foot

甜菜 Common Beet

菠菜 Spinach

菠菜的叶子很嫩，可以用水焯后拌着吃。

菠菜 种植在旱田中的一年生或二年生草本植物。我们所吃的菠菜是根部丛生的基生叶。为了抗寒，菠菜会匍匐着蔓延生长，如果不采摘任其生长，第二年春天茎会长高，开出花朵。 50厘米 5月

甜菜 种植在旱田中的二年生草本植物。根圆，呈紫色，叶柄也是紫色的，根部有甜味。外表看起来像萝卜，但与萝卜不同，甜菜几乎没有辣味。甜菜根可以切丝做成凉拌菜，做法简单，味道爽口。 1米 6～7月

苋科

鸡冠花 种植在花田中的一年生草本植物。夏季，红色的花穗挺立在茎端。皱巴巴的、厚厚的花穗像鸡冠一样，摸起来像天鹅绒一样光滑。秋天，抖一抖干枯的花穗，芝麻粒般的种子便会撒落下来。花朵除红色之外，还有白、黄、橙等颜色。

90厘米 ✱7～8月 9～10月

鸡冠花的种子

紫茉莉
Common Four O'clock

鸡冠花
Cirested Cockscomb

紫茉莉科

紫茉莉 种植在花田中的一年生草本植物。初夏，盛开漏斗形状的花朵。紫茉莉总是在日落时开花，第二天早上凋谢。花朵的颜色多种多样，有红色、黄色、粉红色等。种子像皱巴巴的黑豆一样，里面的白色胚乳可晒干研磨成粉末，将这些粉末抹在脸上，脸就会像擦了粉一样白净。

60～100厘米 ✱6～9月 9～10月

马齿苋科

马齿苋 种植在旱田中或生长在野地上的一年生草本植物。茎和叶充满水分，看起来肥肥的。茎呈红色，或匍匐，或歪歪斜斜地生长。夏季，盛开小黄花。上午，花在短时间内盛开后会立刻枯萎。盛夏时，茎向旁边蔓延，形成一块草垫子。即使被连根拔起，马齿苋也能继续存活好几天。

5 ~ 15 厘米 ✱ 5 ~ 9 月 7 ~ 10 月

马齿苋的种子

马齿苋 Common Purslane

繁缕 Chickweed

大花马齿苋 Rose Moss

大花马齿苋的种子

大花马齿苋 种植在花田中的一年生草本植物。因为植株矮小，所以一般栽种在花田最前面的位置。花朵从夏季盛开到深秋，在中午绽放，太阳下山后花瓣会卷起来。花朵的颜色多种多样，有粉红色、红色、黄色等。茎和叶充满水分，看起来肥肥的。 10 厘米 ✱ 6 ~ 10 月 8 ~ 10 月

石竹科

繁缕 种植在旱田中或生长在野地上的一年生或二年生草本植物。春季，盛开星星形状的白花。每朵花有五片花瓣，但是花瓣裂得很深，底部和花萼结合在一起，看起来像是有十片花瓣。繁缕虽然植株小，花朵也很小，不易被人察觉，但却是很常见的植物。繁缕也叫作“鹅肠草”“鸡肠草”。

10 ~ 20 厘米 ✱ 3 ~ 6 月 8 ~ 9 月

石竹 生长在向阳山坡或溪边沙地上的多年生草本植物。夏季，枝端盛开像康乃馨一样的深粉色花朵。因为它的茎像竹子一样分节，叶子也像竹叶一样狭长，通常生长在贫瘠的石缝中，所以被叫作“石竹”。 30 ~ 40厘米 6 ~ 8月 9 ~ 10月

石竹
China Pink

芡 Prickly Water Lily

瞿麦

瞿麦 生长在山坡或草地上的多年生草本植物。花朵在夏季盛开，与石竹花相似，但瞿麦花的花瓣末端细裂成丝状。瞿麦在花盆中也能很好地生长。

30 ~ 60厘米 7 ~ 8月 9月

毛茛目 睡莲科

芡（qiàn） 生长在池塘或沼泽中的一年生草本植物。巨大的叶子浮在水中，上面长满了刺，脉纹多皱褶。大的叶子直径可达两米。夏末，花轴伸出水面，每个花轴会盛开一朵深粉色的花朵，花轴上也长有刺。芡的果实被称为“芡实”。

7 ~ 9月 10 ~ 11月

睡莲　生长在池塘中的多年生草本植物。叶子像盘子一般圆圆的，漂浮在水面上。夏天，盛开白色或粉色的花朵。花朵只在白天开放，到了晚上就闭合起来，像是睡着了一样，所以被称为“睡莲”。花朵开放 3 ~ 4 天之后，花瓣就会缩入水中。睡莲在水里结果实。　50 厘米　6 ~ 8 月　9 月

睡莲 Pygmy Waterlily

荷花 Sacred Lotus

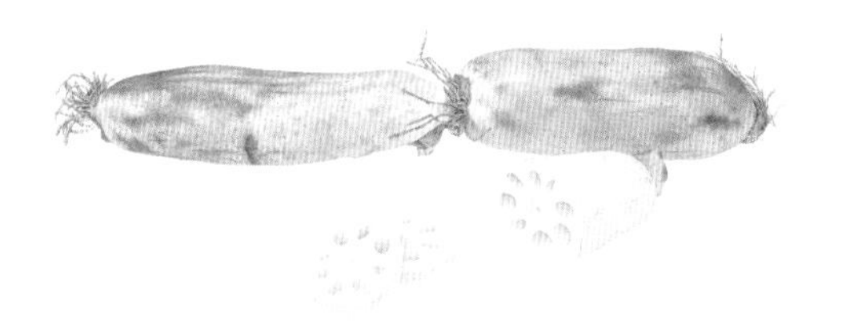

荷花肥大的根状茎叫作“藕”。

荷花　生长在池塘或沼泽中的多年生草本植物。每个从水中抽出的长叶柄顶端都托着一片圆圆的叶子，看起来像是在长杆顶端放置的碟子。浅粉色的花朵也从水中伸出盛开。结出的莲蓬像喷壶的壶嘴，上面有很多圆形孔洞，每个孔洞内都嵌着一粒坚硬的果实。　1 ~ 2 米　7 ~ 8 月　9 ~ 10 月

朝鲜白头翁 生长在向阳山脚的多年生草本植物。全身长满了软软的柔毛。春天，弯弯的花茎末端盛开像编钟一样的红色花朵。花朵下垂开放，凋谢以后，花柱会继续伸长，远远望过去特别像老爷爷花白的头发。种子会随风散播到远方。

25 ~ 30厘米 ✱ 3 ~ 4月 5 ~ 6月

朝鲜白头翁的花朵枯萎时上仰。

花柱伸长。

花柱变得越来越白，越来越轻。

种子飞走。

石龙芮
Celeryleaf Buttercup

朝鲜白头翁 Pasqueflower

石龙芮（ruì） 生长在水田或水边潮湿处的多年生草本植物。初夏，盛开金黄色的花朵。花朵、茎和叶子都非常有光泽。花瓣有五片，茎和叶子上没有毛。果实稍长，表面有很多突起。 30 ~ 60厘米 ✱ 5 ~ 6月 7 ~ 8月

茴茴蒜 生长在向阳水边或水田埂的一年生草本植物。与石龙芮不同，茴茴蒜的茎和叶子上长满了粗毛。叶片分裂，裂片有粗齿牙或再分裂。 40～60厘米 5～8月 7～9月

茴茴蒜
Chinese Buttercup

毛茛
Japanese Buttercup

茴茴蒜的果实更瘦长一些。

毛茛 生长在山野潮湿草地上的一年生或多年生草本植物。根生叶像是被火烧焦了一样，上面长有很多黑色的斑痕。初夏，盛开黄色的花朵，五片花瓣很有光泽。毛茛的花朵比茴茴蒜的花朵更大一些。整棵植株有毒，皮肤如果碰到它的汁液，会起水泡。 50厘米 5～8月 7～9月

丝叶水毛茛 生长在水田或池塘中的多年生草本植物。花朵酷似梅花，叶子与金鱼藻相似，因此也被叫作“梅花藻”。根扎在泥土里，茎和叶都沉在水中。春季，白色的花朵从水里探出头绽放，非常美丽。 50厘米 4 ~ 5月

盛开的丝叶水毛茛

长白楼斗菜 Columbine

丝叶水毛茛

面临灭绝危机

长白楼（lóu）斗菜 生长在深山中的多年生草本植物，在中国的长白山等山区有分布。人们偶尔会将长白楼斗菜栽种在花盆里。花朵与山谷中盛开的尖萼楼斗菜很像，但是尖萼楼斗菜花朵下垂开放，而长白楼斗菜则是向上开放，花朵的颜色也更鲜亮一些。两种花向后伸展的花瓣都像鹰爪一样弯曲。花朵一般在夏季盛开，若种植在花盆里，也会在春季盛开。 10 ~ 25厘米 7 ~ 8月 8 ~ 9月

驴蹄草 生长在湿润山谷中的多年生草本植物。花茎向一侧歪斜生长，每一个茎节都能长出根。春季，茎部顶端会盛开一到两朵黄花。驴蹄草有毒，不能食用。采摘野菜的时候容易将驴蹄草与马蹄叶［也叫橐（tuó）吾］混淆，要记住，马蹄叶是在秋天开花的。 40 ~ 50厘米 4 ~ 5月 6 ~ 7月

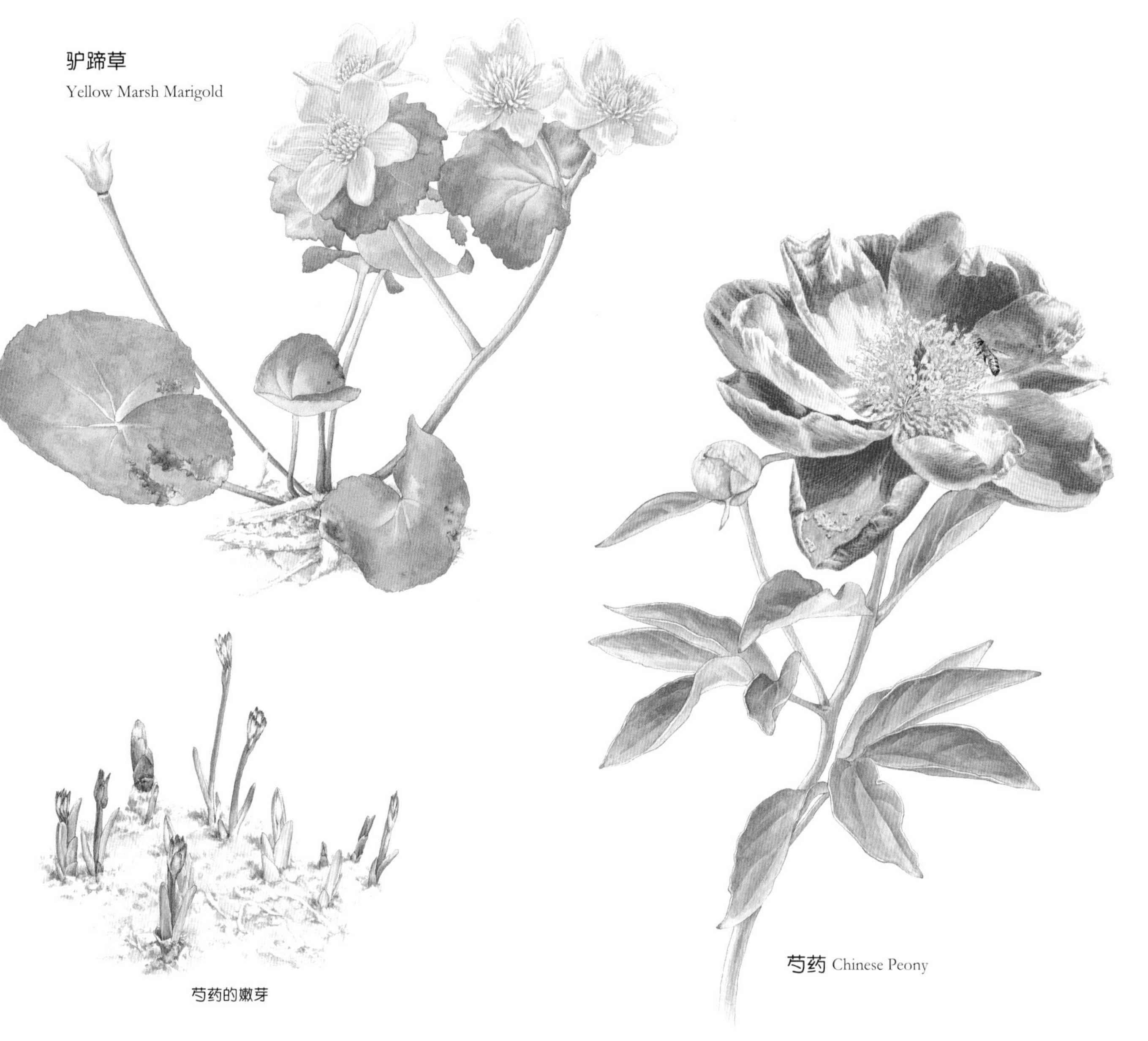
驴蹄草
Yellow Marsh Marigold

芍药的嫩芽

芍药 Chinese Peony

芍药 种植在花田中的多年生草本植物。初夏，芍药茎端会盛开令人赏心悦目的花朵，花瓣的颜色多种多样，有红色、粉红色和黄色等，花蕊是黄色的。芍药花与牡丹花很像，不过牡丹是木本植物，而芍药则是草本植物。芍药的叶子比牡丹叶子颜色更绿、更光滑。 50 ~ 80厘米 5 ~ 6月 7 ~ 8月

罂粟 一年生草本植物，从中可以提取鸦片，从鸦片中可提取吗啡用作止痛剂。虽然吗啡的止痛效果非常显著，但是使用它会有成瘾的危险，所以吗啡属于毒品。因此，初夏时节盛开的罂粟花虽然异常美丽，但是任何人都不得私自种植。

30 ~ 80厘米 3 ~ 6月 5 ~ 11月

白屈菜 Asian Celandine

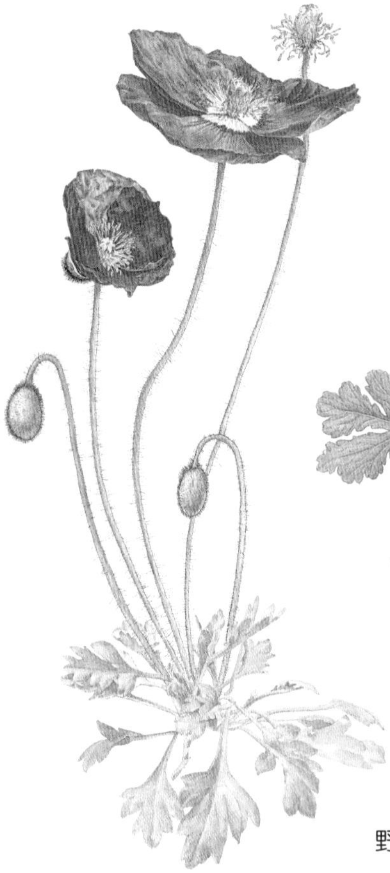

野罂粟 Icelandic Poppy

罂粟 Opium Poppy

野罂粟 种植在花田中的一年生或二年生草本植物。花朵酷似罂粟，但因为不含鸦片成分，所以可以随意种植。初夏，花苞形状像鸡蛋一样扁长，包裹在毛茸茸的花萼中，在花茎顶端垂挂着生长。待到花朵盛开之际，花萼打开，花瓣朝向天空绽放。每朵花有四片花瓣，花朵的颜色也有很多种。

30 ~ 80厘米 5 ~ 6月 6 ~ 7月

白屈菜 生长在向阳路边或者野地上的二年生或多年生草本植物。将茎和叶子切断，会流出金黄色的液体。白屈菜茎部中空，外面长有软毛。叶子新鲜翠绿，背面有些发灰。黄色的花朵从初夏盛开到夏末，每朵花有四片花瓣，位于花瓣中央的长长的雌蕊向上生长。 30 ~ 80厘米 5 ~ 8月 9月

紫堇科

荷包牡丹 生长在深山中的多年生草本植物。初夏，像人的心脏形状的浅粉色花朵成串地悬挂在枝头。荷包牡丹的花朵十分美丽，所以也常被种植在花田中。如果抚摩茎叶，手会被染成黄色。春季长出的新芽可以作为野菜食用。

40 ~ 50厘米 5 ~ 6月 7 ~ 8月

荷包牡丹
Common Bleeding Heart

齿瓣延胡索 Corydalis Cava

齿瓣延胡索 生长在山间的多年生草本植物。春季，盛开形状像袋子一样的浅紫色花朵。结完果实后，茎和叶子会消失得毫无痕迹。叶子正面是绿色的，背面却是灰白色。齿瓣延胡索在地下生长的块茎可以用来制作止痛剂。

20厘米 4月 5月

醉蝶花 种植在花田中的一年生草本植物。花朵层层向上开放，随风摇摆的样子像是蝴蝶在翩翩起舞。雄蕊像蜘蛛的腿一样又长又细，所以其英文名的意思便是“蜘蛛花”。醉蝶花的叶子由5～7枚小叶组成，看起来很像枫叶，花朵可以从初夏一直开到秋天。 1米 6～9月 7～10月

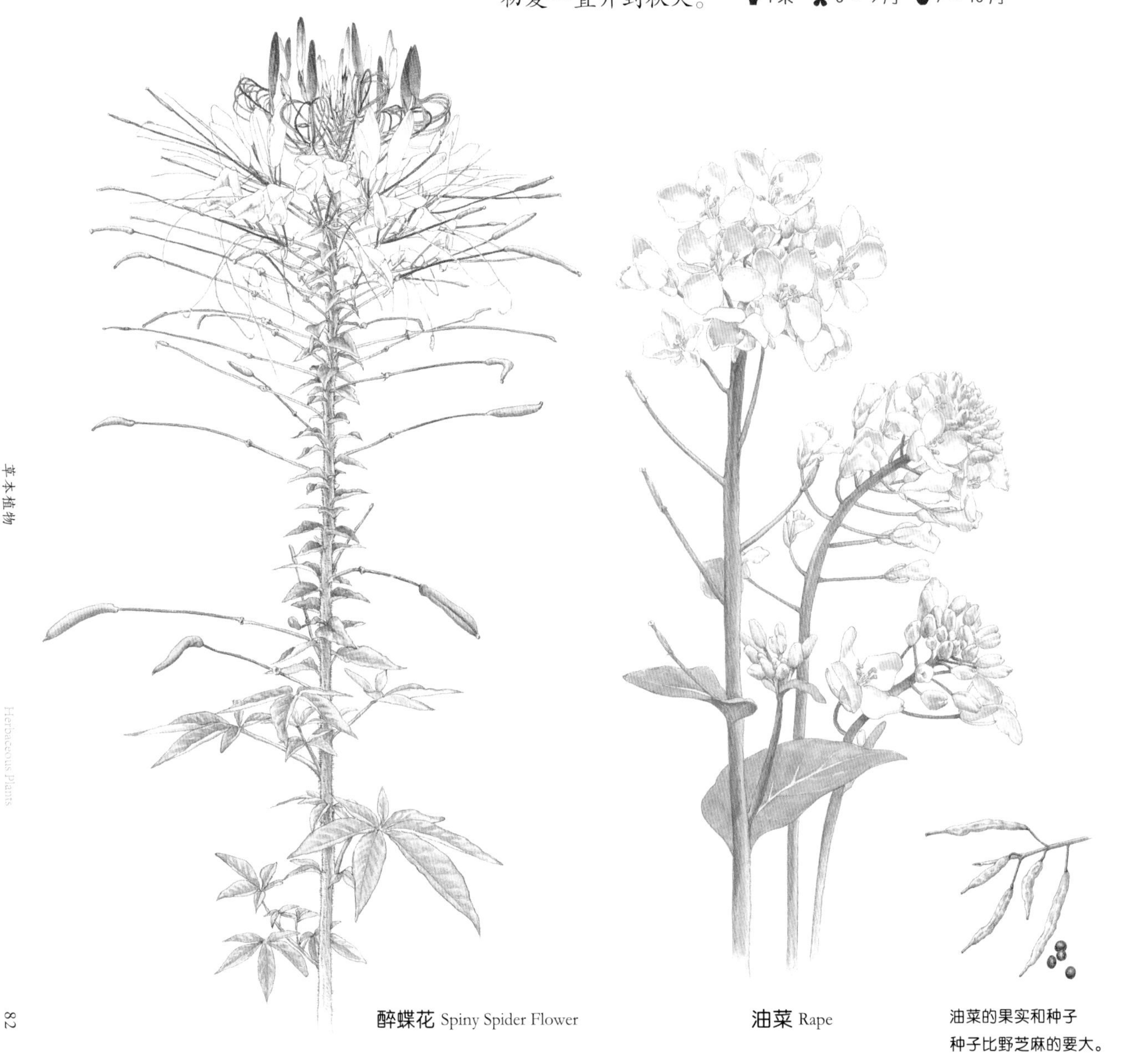

醉蝶花 Spiny Spider Flower

油菜 Rape

油菜的果实和种子
种子比野芝麻的要大。

十字花科

油菜 种植在旱田中的二年生草本植物。秋天播种，来年春天开花。早春的油菜嫩叶可以作为蔬菜食用，种子可以用来榨油。春季，油菜会盛开黄色的花朵，非常漂亮，因此，也有人将油菜种在花田里。 1米 3～4月 5～6月

荠菜 生长在向阳田野或旱地中的二年生草本植物。荠菜的基生叶呈圆形铺开，紧贴地面生长，以此来度过寒冬。冬季，叶子散发紫色光泽。春季，茎向上生长，开出白色的花朵。在茎长高之前，将荠菜连根挖出，可以作为野菜食用，无论是煮汤还是焯一下凉拌，味道都非常好。荠菜的果实呈倒心形。结果后荠菜便会枯萎。 10 ~ 50厘米 3 ~ 6月 4 ~ 6月

荠菜 Shepherd's Purse

葶苈 Whitlow Grass

荠菜的基生叶

葶苈的基生叶

葶苈（tíng lì） 生长在向阳田野或旱地中的二年生草本植物。与荠菜相比，葶苈的叶子更圆一些，有软毛，花朵是黄色的。葶苈与荠菜一样，依靠基生叶过冬，第二年春天，茎会向上生长，开出花朵。葶苈的果实瘦长，根像线一样细，叶子可以作为野菜食用。 20厘米 4 ~ 6月 7 ~ 8月

萝卜 种植在旱田中的一年生或二年生草本植物。夏季播种，冬季便可以采摘。根部为白色，呈圆柱形，水分很多，带甜味和辣味。如果不拔萝卜任其生长，第二年春天便会在基生叶丛中长出茎，开出粉红色或白色的花朵。 ✱4 ~ 5月

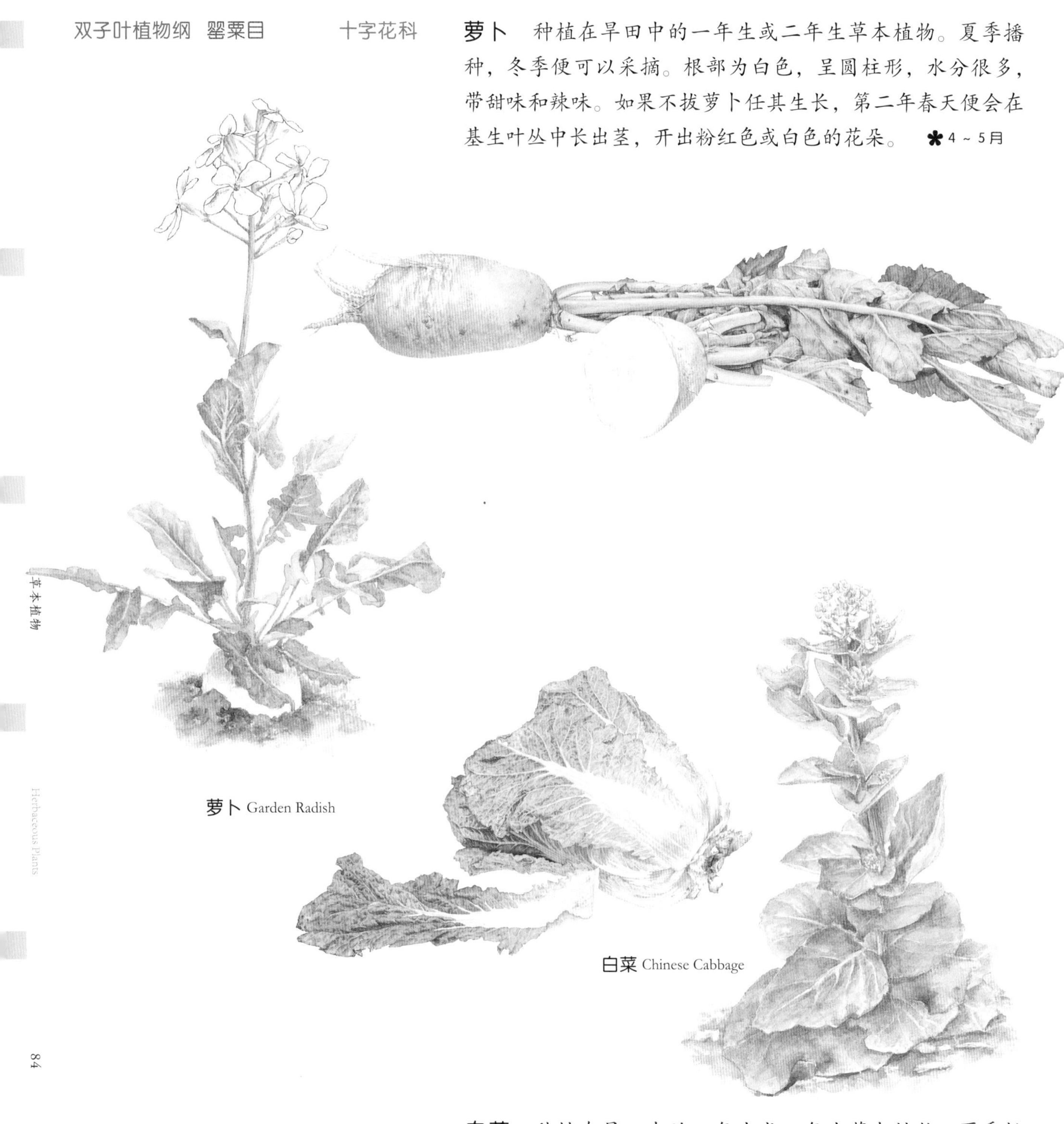

萝卜 Garden Radish

白菜 Chinese Cabbage

白菜 种植在旱田中的一年生或二年生草本植物。夏季播种，深秋便可以收获了。白菜的叶子凋落后，会有数十片基生叶向上生长。天气变凉以后，基生叶会整整齐齐地闭合在一起，内部像橄榄球一样结实。我们平时所吃的部位就是白菜的基生叶。如果不拔白菜任其生长，第二年春天，茎便会长高，开出黄色的花。 ✱3 ~ 4月

芥菜　种植在旱田中的一年生或二年草本植物。芥菜叶长得有点像萝卜的叶子，带有紫色光泽，吃起来有辣味，闻起来也让人觉得辣辣的。如果不拔芥菜任其生长，它就会像荠菜一样将叶子完全张开，紧贴地面生长，通过这种方式度过寒冬。第二年春天，芥菜的茎会长高，开出黄色的花。

1米 ✱3 ~ 6月

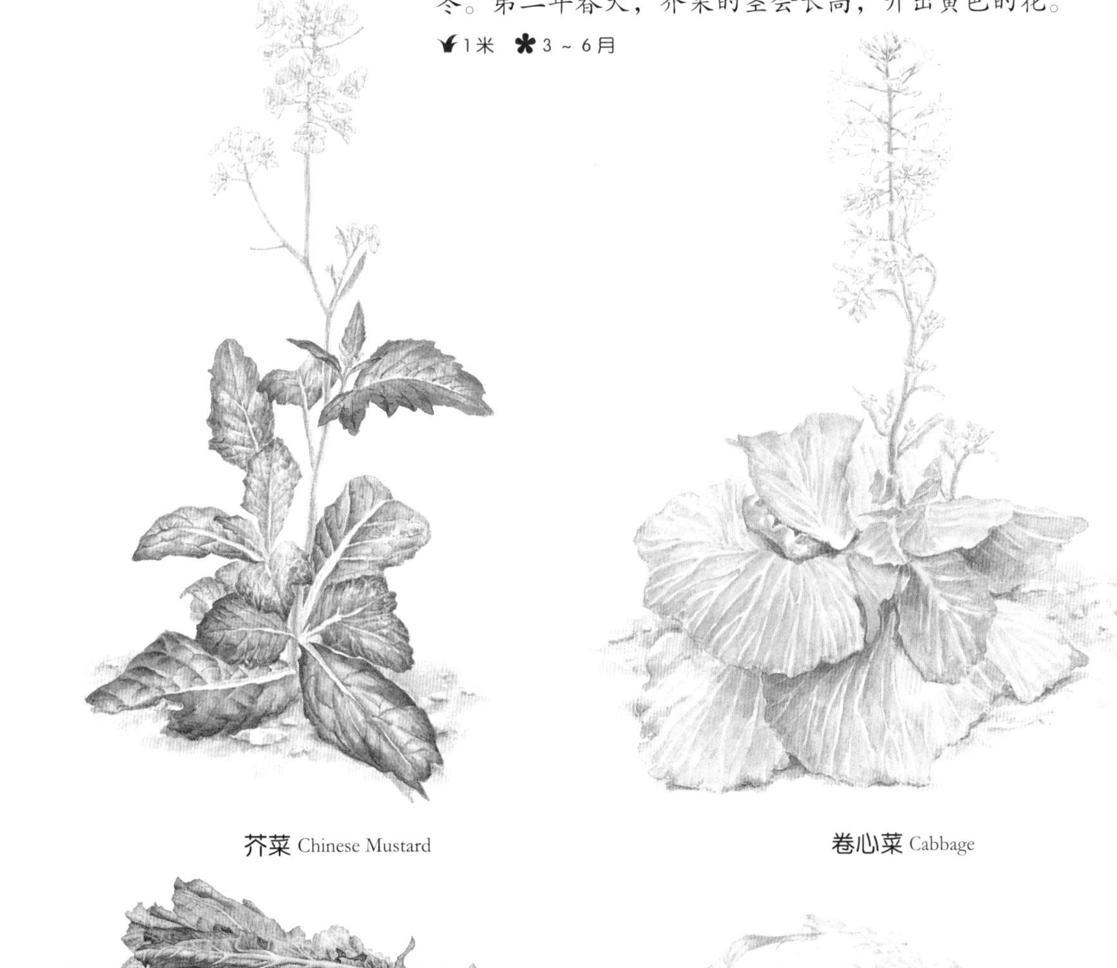

芥菜 Chinese Mustard

卷心菜 Cabbage

卷心菜　种植在旱田中的一年生或二年生草本植物。卷心菜的基生叶向里整齐地叠在一起，卷成一个球。外表为绿色，越往里越显乳白色。叶子无毛，厚实，有光泽。夏季播种，深秋便可以吃了。如果不拔卷心菜任其生长，来年春天茎便会长高，开出浅黄色的花朵。有些品种的卷心菜叶子是紫色的。

✱5 ~ 6月

双子叶植物纲 罂粟目 十字花科

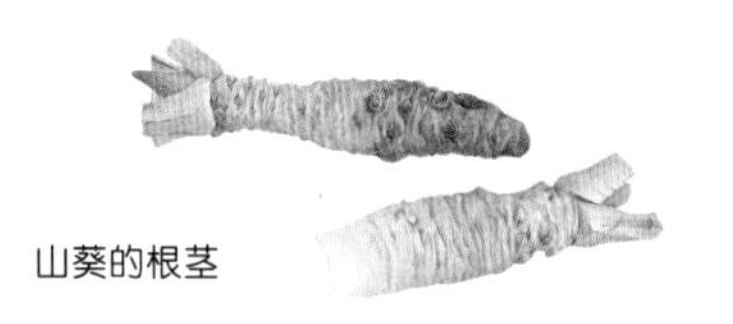
山葵的根茎

山葵 种植在田地中的多年生草本植物。山葵喜水，多被种植在山谷的清水边。山葵的根茎有辛辣味，能让人辣到鼻子发酸，人们在吃生鱼片或荞麦面时，常会将山葵的根茎研磨后作蘸料。叶子与驴蹄草类似，可以作为野菜食用。初夏，盛开白色的花朵，在盛夏时结种。

20 ~ 40厘米 5 ~ 6月 7 ~ 8月

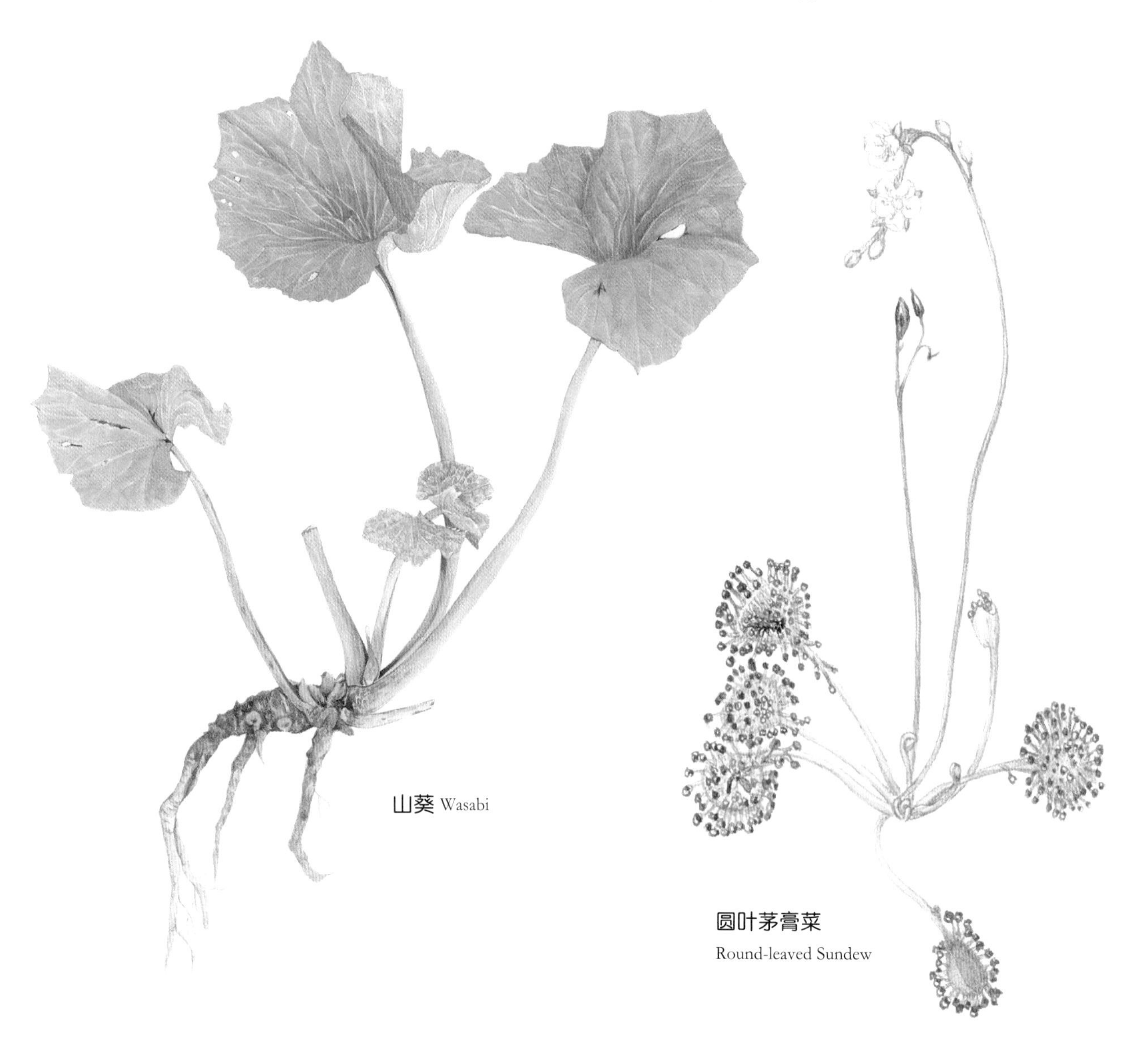
山葵 Wasabi

圆叶茅膏菜
Round-leaved Sundew

茅膏菜目 茅膏菜科

圆叶茅膏菜 生长在向阳水边的多年生草本植物。叶子由根部开始向上生长，叶柄很长，顶部像圆勺。叶子的正面和边缘长有长长的腺毛，它们能分泌粘液。圆叶茅膏菜会用这些粘腺毛捕捉昆虫，吸取养分。昆虫一旦被粘住，在它们挣扎之时，圆叶茅膏菜的叶子便会卷缩，并分泌消化液将昆虫消化吸收。夏季，盛开白色的花朵。 6 ~ 30厘米 7月 9月

垂盆草　生长在水田或潮湿石缝中的多年生草本植物。叶子和茎充满水分，看起来肥肥的。茎匍匐生长，茎节处会长出新根。初夏，星星般金黄色的花朵在枝端聚集绽放。早春之际，在垂盆草开花之前，摘下它的茎，便可以作为野菜食用。记得不要煮熟，要生吃。垂盆草含有很多水分，味道十分清爽。　15 厘米　5 ~ 6月　7 ~ 8月

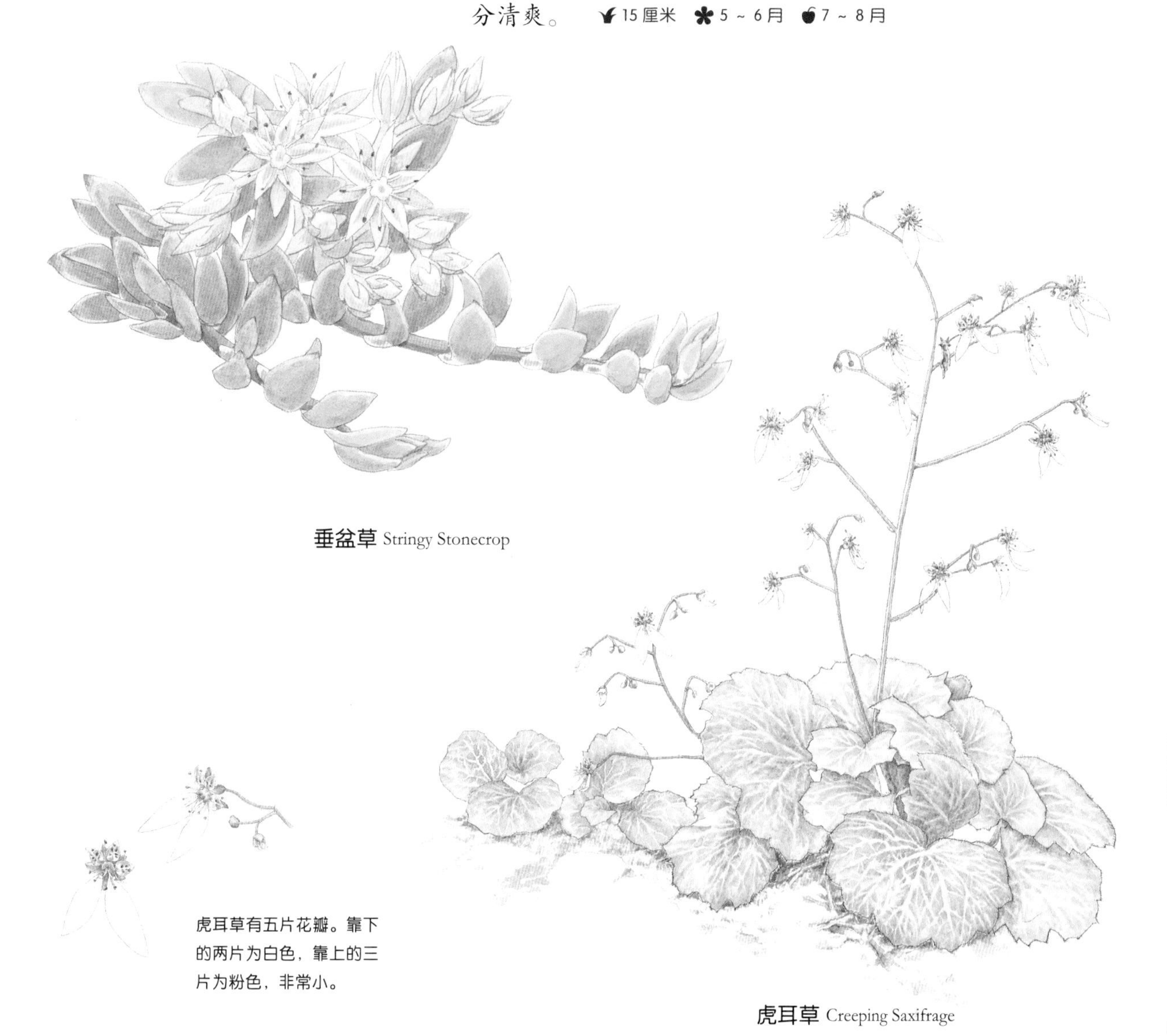

垂盆草 Stringy Stonecrop

虎耳草 Creeping Saxifrage

虎耳草科

虎耳草　种植在花田中的多年生草本植物，常见于石缝中或阴凉处。即使在冬天，叶子依然是绿色的。叶子圆乎乎的，长有茸毛。叶脉为白色，叶子边缘呈波纹状。初夏，花轴伸长向上生长，开出一串串白花，花朵正面看像兔子牙齿，倒过来看又像是兔子的耳朵。　60 厘米　5 ~ 7月　8月

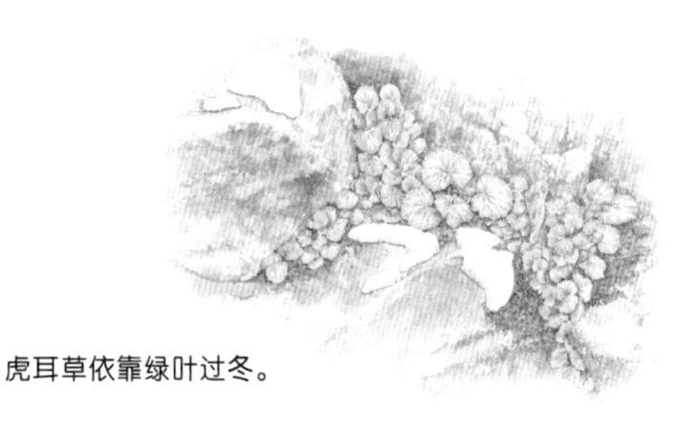

虎耳草依靠绿叶过冬。

蛇莓 生长在旱田田埂或向阳草地中的多年生草本植物。茎在地面上匍匐生长，茎节处会长出新根。叶子是由三枚小叶组成的复叶。夏天，叶腋处会开出黄色的花朵。果实为红色，像小草莓一样，尝一尝却并没有什么味道。蛇莓也被称为“地莓”。 10 ~ 20厘米 4 ~ 9月 5 ~ 10月

蛇莓的花朵凋谢后，中间的花托会膨大，小果实像芝麻一样嵌在上面。

蛇莓 Indian Strawberry

草莓 Strawberry

草莓 种植在旱田中的多年生草本植物。茎在地面上匍匐生长，茎节处会长出新根。春季，开出白色的花朵，初夏，草莓成熟变为红色。草莓软软的，上面密密麻麻地贴着很多像芝麻一样的小果实。每粒果实都长有一根小短毛。种植在大棚中的草莓，在早春之际便会被采摘。 4 ~ 5月 6月

莓叶委陵菜 生长在向阳草地中的多年生草本植物。茎在地面上匍匐生长，茎节处会长出新根。大量叶子从茎节生出，蔓延成圆圆的草垫。叶子是由 3 ~ 9 枚小叶组成的复叶。靠近顶端的三枚叶子较大，其余的较小。春季，细枝上会开出金黄色的花朵。茎和叶子上长有茸毛。

30 ~ 50 厘米 4 ~ 6 月 7 月

莓叶委陵菜 Cinquefoil

地榆 Official Burnet

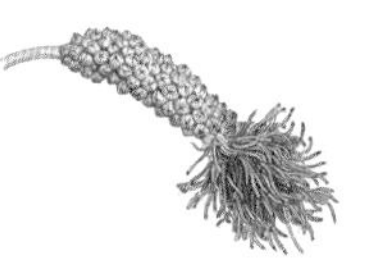

细叶地榆
生长在高山上，
开紫花。

小白花地榆
多生长在潮湿的地方，
开白花。

地榆根部运送的水分会从叶子的边缘溢出。

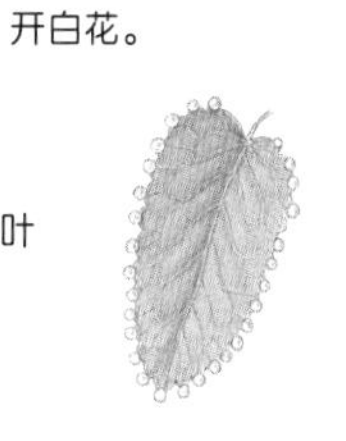

地榆 生长在草地中的多年生草本植物。搓搓叶子闻一下，有黄瓜一样清爽的气味。叶子起初呈闭合状态，随着生长会慢慢张开，5 ~ 15 枚像羽毛一样的小叶相对生长。夏天，红色的小花聚集在茎的顶端绽放，看起来像是迷你棒棒糖。

1 米 7 ~ 9 月 10 月

豌豆 种植在旱田中的一年生或二年生攀缘性草本植物。通常秋季播种，第二年初夏就会结出豌豆。豌豆的叶子顶端会生出卷须，缠绕支架向上生长。花朵为白色或者红色。要在豆荚完全成熟前采摘。地中海沿岸的人们在新石器时代时就开始种植豌豆了。 1 ~ 2米 5月 5 ~ 6月

豌豆 Garden Pea

花生 Peanut

救荒野豌豆 Garden Vetch

救荒野豌豆 种植在旱田中的二年生草本植物。依靠叶柄末端的卷须缠绕其他植物向上生长。春末，开出像蝴蝶一样深粉色的花朵。花朵凋谢后，狭长的豆荚成熟，变成黑色。而后外壳崩裂，种子向外弹出。在种子传播出去之后，叶子和茎会枯萎，静候第二年春天。 0.6 ~ 1.5米 4 ~ 5月 6月

花生 种植在旱田中的一年生草本植物。夏天，开出像蝴蝶一样的黄色花朵。花朵凋谢后，长长的子房钻入地里。子房末端逐渐膨大，长成荚果。荚果里面有1 ~ 3粒种子。这些种子就是我们常吃的花生。花生外面包裹着一层薄薄的浅粉色种皮。
60厘米 7 ~ 9月 9 ~ 10月

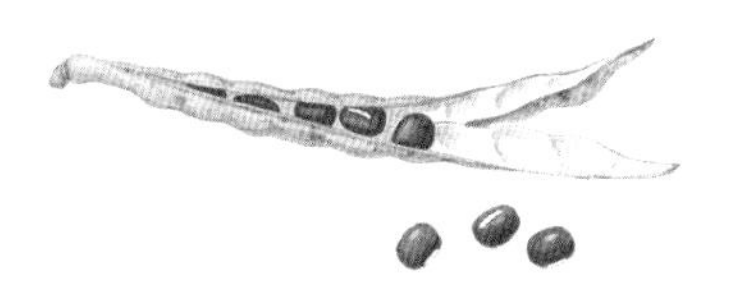

红豆 种植在旱田中的一年生草本植物。春季播种，秋季收获。春季，开出黄色的花朵，结狭长的荚果。与花生荚果相比，红豆荚果更细长，并且上面没有毛。荚果里面长有十颗左右紫红色的种子。 50 ~ 90厘米 ✱8月 10月

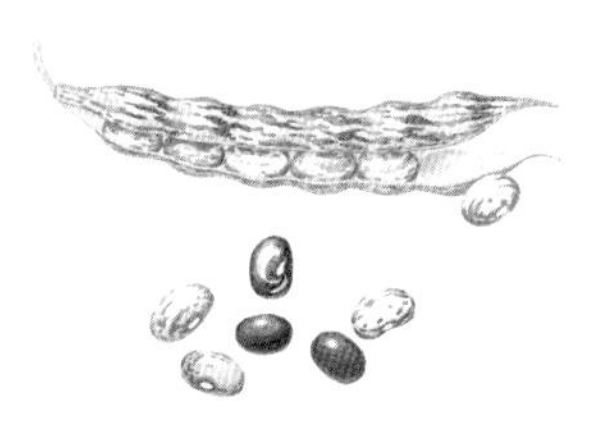

菜豆 种植在旱田中的一年生攀缘性草本植物。因为藤蔓攀爬篱笆向上生长，所以又被叫作“篱笆豆”。豆荚斑驳，两端尖细，外壳厚而无毛，里面含有5 ~ 6粒斑驳的豆子。

2米 ✱7 ~ 8月 9 ~ 10月

野大豆 生长在田野或路边的一年生攀缘性草本植物。野大豆是我们现在种植的经济作物大豆的祖先。坚韧的藤蔓缠绕其他草本植物或者树木向上生长。野大豆无论是叶子还是花朵，都与大豆十分相似。种子也像是小小的大豆，虽然小，但是非常结实。 2米 7～8月 9～10月

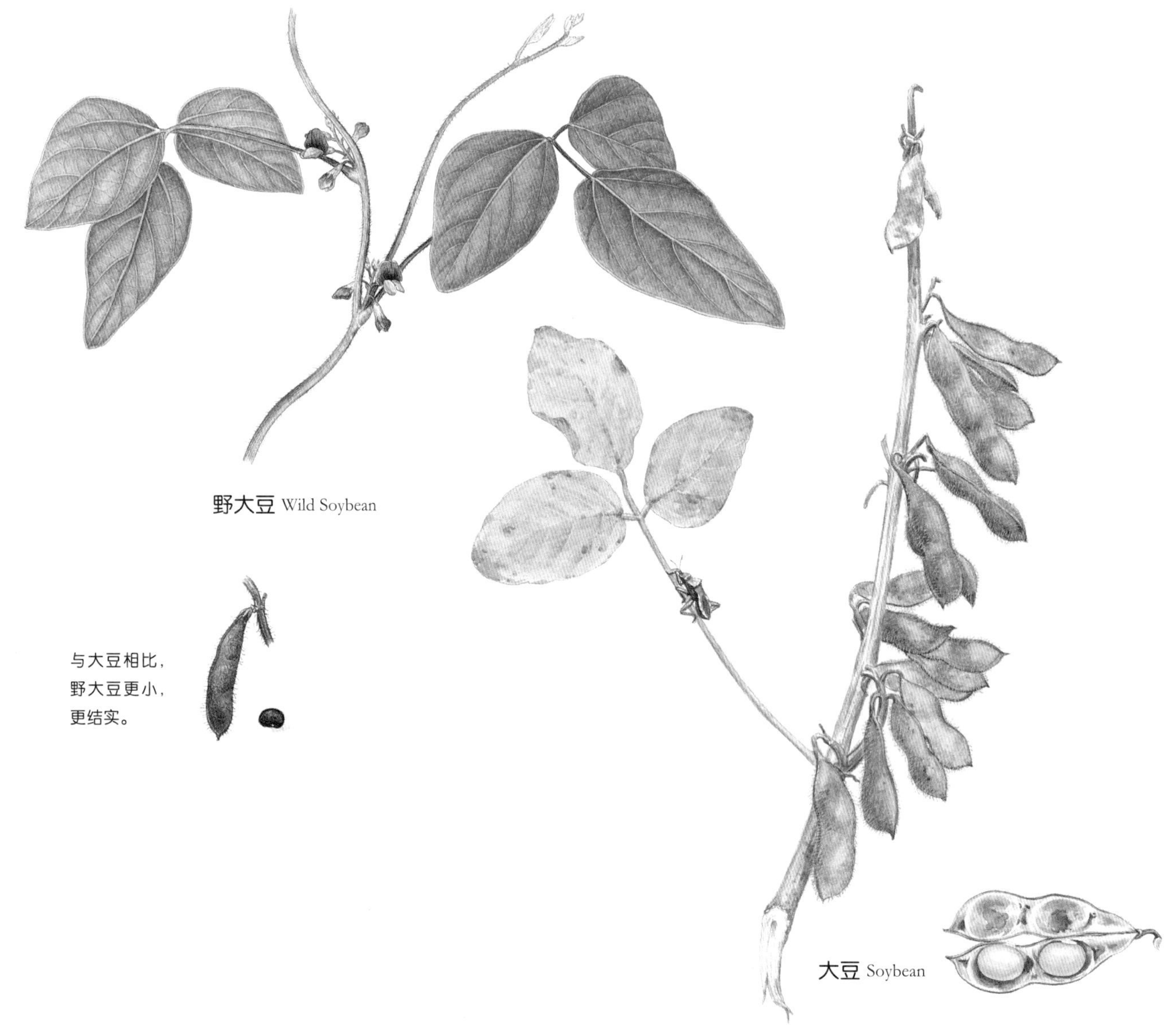

大豆有多种颜色，除了黄色外，还有黑色和青色的。

大豆 种植在旱田中的一年生草本植物。春季播种，秋季就能收获。叶子是由三枚略圆的小叶组成的复叶。夏季，浅紫色的花朵紧贴叶腋开放。结出的豆荚就是果实，外面长有短毛，成熟后呈黄色，很像枯叶的颜色。成熟的豆荚里面有2～3粒黄色的豆粒。种植大豆的田地里点蜂缘蝽非常多，它们会贴在豆子上吸食豆汁。 2米 7～8月 9～10月

白车轴草 生长在草地中的多年生草本植物。总叶柄顶端长着三片形似手掌的小叶，偶尔也会见到四片叶子的，这被视为幸运将要降临。夏季，长长的花梗顶端会成团绽放很多白色的花朵，聚在一起像花球一样。白车轴草常被叫作“三叶草”。 20 ~ 30厘米 5 ~ 7月 8 ~ 9月

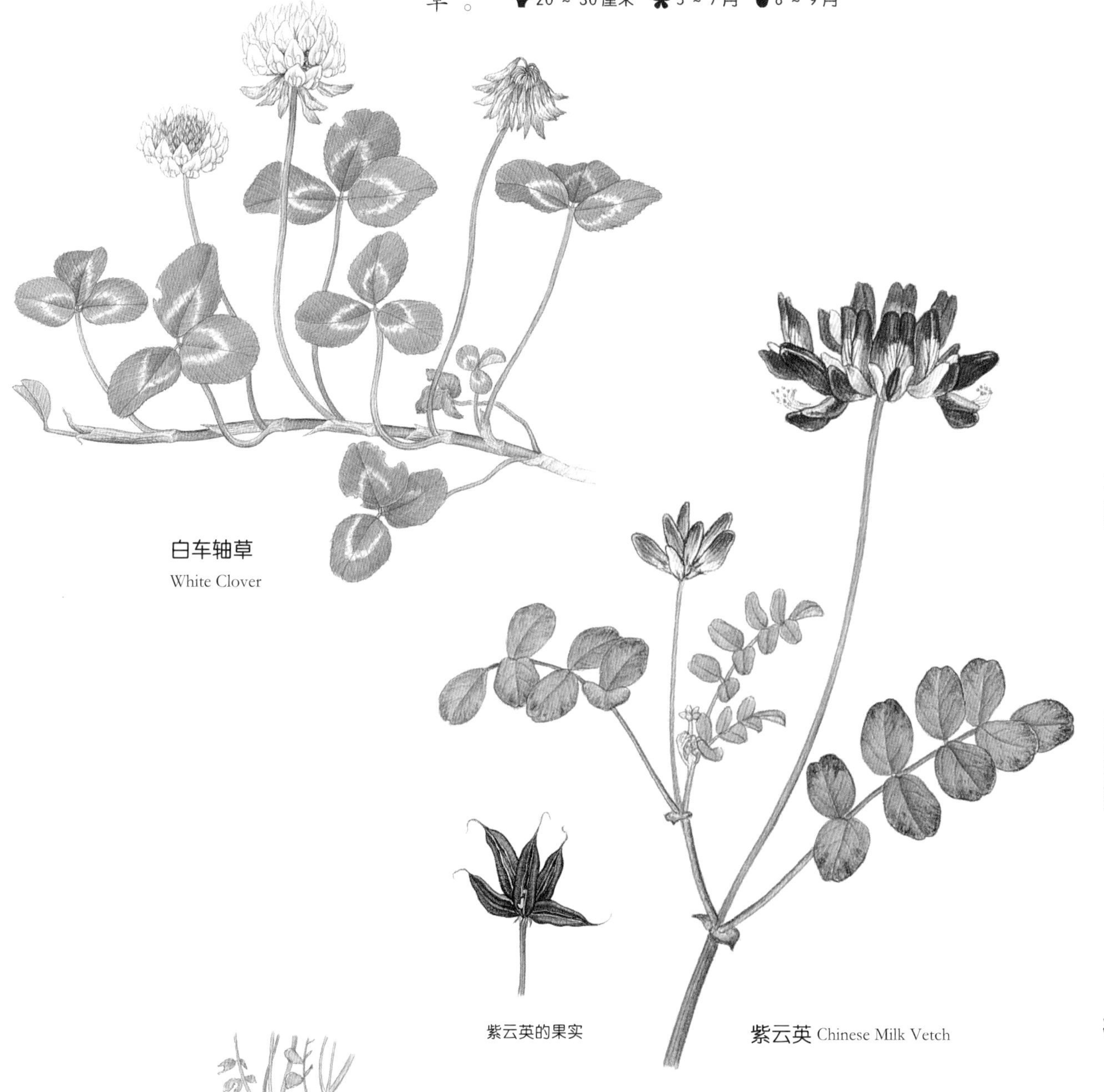

白车轴草
White Clover

紫云英的果实

紫云英 Chinese Milk Vetch

紫云英 生长在水田或草地里的二年生草本植物。夏季，像蝴蝶一样的紫色花朵围成一团绽放，仿佛是紫色的云彩降临凡间。紫云英的果实是细长的荚果，成熟时会变成黑色，里面有2 ~ 5粒扁扁的种子。紫云英常被种植在水田中，用来做绿肥。 10 ~ 25厘米 4 ~ 5月 6月

紫云英的根
豆科植物的根部常常长着圆圆的根瘤，根瘤可以使土地变得更加肥沃。

双子叶植物纲　牻牛儿苗目　酢(cù)浆草科

酢浆草　生长在草地或野地上的多年生草本植物。将叶子放入口中嚼一嚼，有酸酸的味道。长长的叶柄顶端有三枚心形的小叶相对生长。晚上，叶子向下闭合，仿佛在睡觉一样。从春天到秋天，酢浆草都会盛开金黄色的花朵。结出的果实小小的，样子很像烛台。轻轻碰一下成熟的果实，种子会弹向四方。酢浆草也被叫作“酸咪咪”“三叶酸”。

10 ~ 30厘米　2 ~ 11月　2 ~ 11月

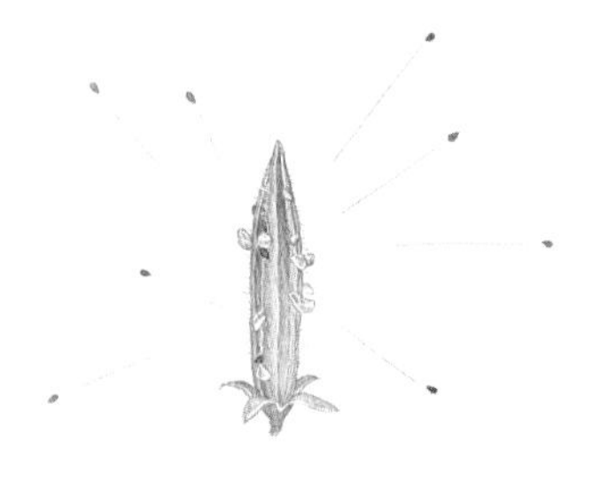

轻轻碰一下酢浆草的果实，小小的种子便会弹向四方。

酢浆草 Yellow Oxalis

水金凤 Western Touch-me-not

无患子目　凤仙花科

水金凤　生长在背阴溪谷周围的一年生草本植物。夏末，盛开像金鱼一样的黄色花朵。花瓣后侧延长成内弯的距，与野凤仙花相比，植株本身较脆弱，也并不常见。轻轻触碰成熟的果实，种子便会弹出，因此它的英文名的意思正是“别碰我”。　60厘米　8 ~ 9月　9月

野凤仙花 生长在背阴溪谷周围的一年生草本植物。夏末，盛开酷似凤仙花的紫色花朵。花瓣后侧延伸成向里翻卷的弯距。茎很粗，看起来像树一样。

🌱40 ~ 80厘米 ✱8 ~ 9月 🍎9月

野凤仙花
Wild Balsam

凤仙花 Garden Balsam

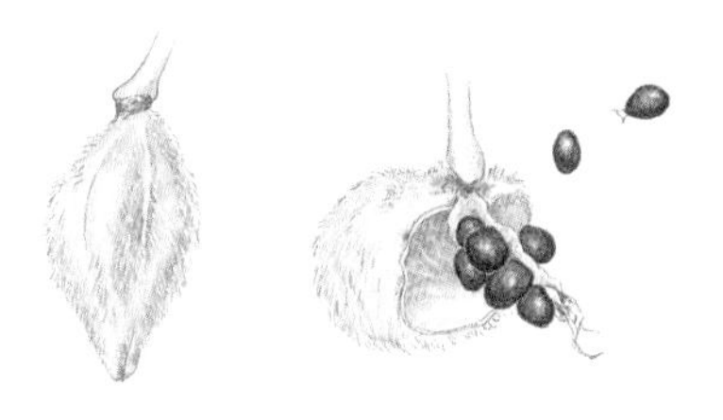

凤仙花的果实成熟后，荚果变干，受到外力就会裂开。

凤仙花 种植在花田中的一年生草本植物，因为它的花瓣和叶子可以将指甲染成红色，也被称为“指甲花”。茎底部呈红色，很结实，叶子像柳叶。春季播种，从初夏到秋天都会开花，有红、紫、白等颜色。果实成熟后，随着荚果果皮变干收缩，种子会弹向四方。 🌱60厘米 ✱6 ~ 9月 🍎8 ~ 9月

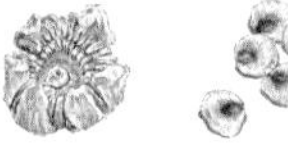

蜀葵的果实和种子

蜀葵 种植在花田中的二年生草本植物。植株高度可以超过一个成年人的身高。夏季，像碟子一样的花朵层层向上绽放，花瓣像绸缎一样光滑，有红、粉、黄、白等颜色。秋季，结出扁圆的果实，果实中整齐排列着像铜钱一样扁圆的种子。

2 ~ 2.5米 5 ~ 8月 9月

蜀葵 Hollyhock

冬葵 Cluster Mallow

棉花 Cotton

棉花的花

冬葵 种植在旱田中的一年生草本植物。茎和叶子很滑，叶子像南瓜叶一样扁平宽大，春季和秋季可以采摘嫩茎叶煮汤喝。春季播种，夏季开花。白色的花朵簇生于叶腋。秋季，坛子形状的果实成熟。冬葵的种子叫作“冬葵子”。

60 ~ 90厘米 6 ~ 7月 8 ~ 9月

棉花 种植在旱田中的一年生草本植物。叶子形似手掌，分裂为3 ~ 5片。初秋，盛开白色或浅粉色的花朵。果实的形状像鸡蛋一样。果实成熟后会自动开裂，雪白的棉絮从裂口露出来。棉絮里面有种子。从棉絮里抽丝，可以织布。棉花的种子可以用来榨油。花朵和棉絮看起来很漂亮，所以也有人将棉花种植在花盆里观赏。 90厘米 8 ~ 9月 9 ~ 10月

东北堇菜的果实

东北堇菜　生长在向阳草地中的多年生草本植物。春季，花梗顶端盛开紫色的花朵，面向两边生长。花梗和叶子从接近根部的地方长出来。虽然叶子鲜嫩，但是扎根很深，很难拔出来。果实成熟后，会向三个方向裂开，种子会一个接一个地弹出去。　10 厘米　4 ~ 10 月　6 ~ 10 月

东北堇菜 Northeastern Violet

三色堇 Pansy Violet

三色堇花朵的颜色多种多样。

三色堇　种植在花田中的一年生或二年生草本植物。春季，细长的花梗上会开出一朵大花。根据品种不同，花朵的颜色多种多样，具有巨大点状花纹的花朵数量最多也最常见。马路旁或公园里都种有很多三色堇。三色堇的花瓣还可以食用。
15 ~ 30 厘米　4 ~ 5 月

双子叶植物纲 堇菜目 番木瓜科

番木瓜 生长于热带、亚热带地区的多年生草本植物，也可以在中国北方地区的植物园温室中见到。雌雄异株，植株高大，可以长到温室的顶端，但它的茎干没有木质化，属于草本植物。叶柄长，叶子很大，形状像手掌，聚集在茎端。春季，茎端盛开白色的花朵，香气四溢。果实长得像葫芦，成熟后呈朱红色，柔软的果肉可以食用。种子是黑色的。 6米

番木瓜的果实结在雌株上。

番木瓜 Papaya

绯花玉

梨果仙人掌 Indian Fig

仙人掌目 仙人掌科

绯花玉 原产于南美洲贫瘠土地上的多年生草本植物，很多植物园的温室中有栽培，也非常适合家庭种植。茎像球一样圆，每个刺座上聚集着五六根刺，刺长一般都超过1厘米，呈弯曲状，像是要将茎包裹起来。刺座间有凹陷的横沟。花朵盛开时像莲花一样秀丽，香气很浓。 10～15厘米 5～7月

梨果仙人掌 梨果仙人掌的故乡是墨西哥，现在在温暖的地区被广泛栽培，中国的广东、广西、海南、云南等地多有种植。扁圆的茎很像观音菩萨的手掌，所以也被称为“观音刺”。在它的故乡墨西哥，它名字的意思是“像手掌的仙人掌”。梨果仙人掌全身长有尖锐的刺，从深秋开始，会结出形似无花果的果实。 7～8月 10～2月

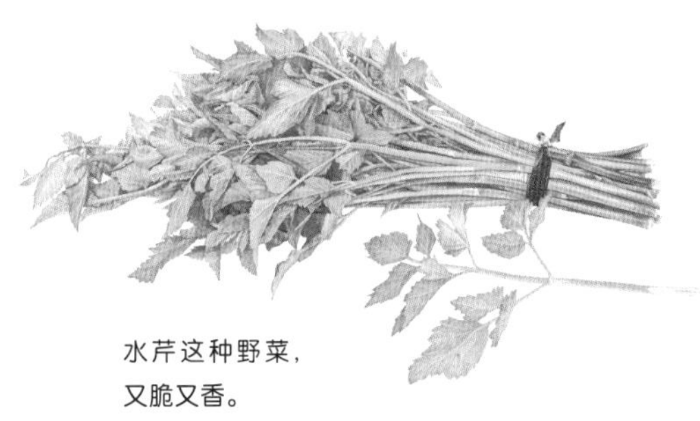

水芹这种野菜，又脆又香。

水芹 生长在水田或河渠沟沿的多年生草本植物。茎从下端开始生出分枝，向两边匍匐生长，茎节处会长出新根，使植株不断蔓延。植株无毛，很光滑。叶子是由几枚稍长的三角形小叶组成的复叶。夏季，小白花在茎部顶端聚集开放。茎叶清香，可以作为野菜食用。

20 ~ 50厘米 7 ~ 8月 9 ~ 10月

水芹 Water Parsley

胡萝卜 Carrot

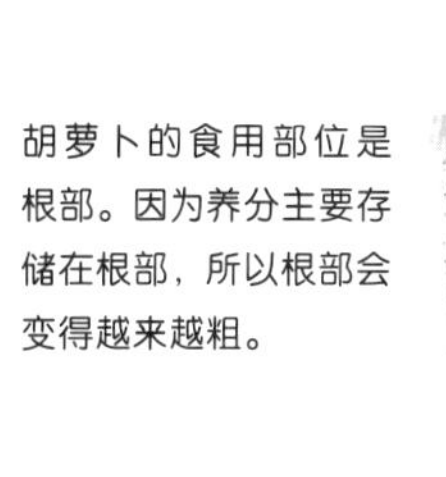

胡萝卜的食用部位是根部。因为养分主要存储在根部，所以根部会变得越来越粗。

胡萝卜 种植于旱田中的一年生或二年生草本植物。春季播种，秋季就可以采挖。叶子像羽毛一样，用手搓一搓，会散发出香味。夏季，数千朵小白花聚集在茎端开放。在南方地区，深冬也可以收获胡萝卜。将吃剩的胡萝卜头放在水里，会长出叶子。 60厘米 7 ~ 8月 8 ~ 9月

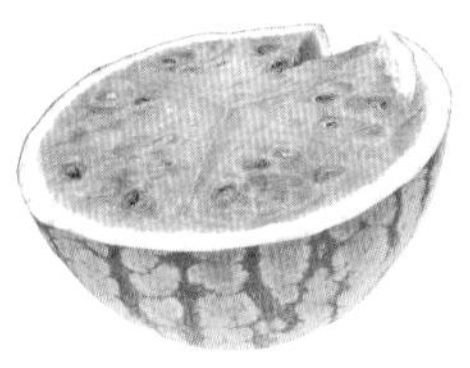

西瓜瓤是红色的，
长有黑色的种子。

西瓜 种植在旱田中的一年生蔓生草本植物。春季播种，夏季就可以采摘。茎在地面爬行，长得很长。初夏，开出漏斗形状的黄色花朵，雌花下面会结果实。果实为球形，浓绿的外皮上有墨绿色的条纹。起初，小果实表面长有茸毛，随着生长，外皮会变得越来越光滑。 ✱6 ~ 7月 🍎7 ~ 8月

西瓜 Watermelon

甜瓜 Oriental Melon

黄瓜 Garden Cucumber

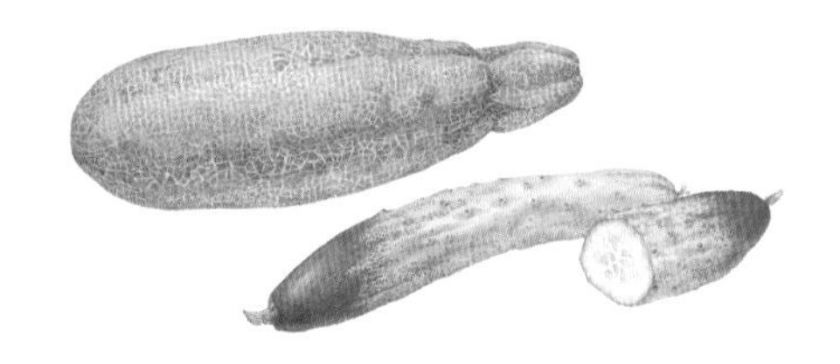

甜瓜 种植在旱田中的一年生蔓生草本植物。春季播种，盛夏就可以采摘。甜瓜生长时，茎部会延伸得很长，还会利用卷须攀爬生长。叶子形状像小南瓜叶。初夏，开出黄色的花朵，在雌花下面结果实。小果实起初为绿色，成熟后变为黄色。果肉白皙，香味十足。 ✱6 ~ 7月 🍎7 ~ 8月

黄瓜 种植在旱田中的一年生蔓生草本植物。春季播种，夏秋季节可以采摘。依靠卷须缠绕支架向上生长。初夏，开出黄色的花朵，雌花下面会结果实。果实细长，表面有突起。完全成熟后，表面变黄，变得粗糙。 ✱5 ~ 9月 🍎6 ~ 9月

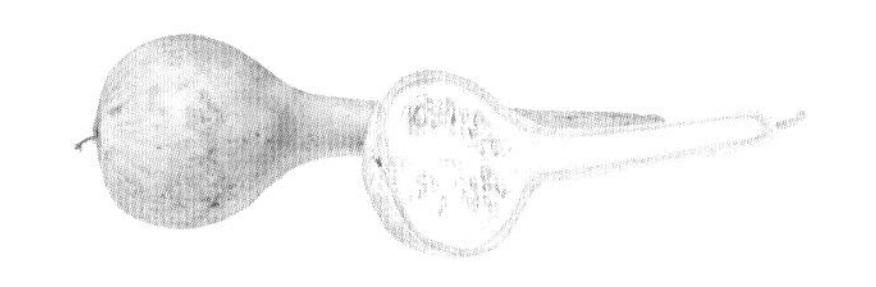
长柄葫芦

葫芦 种植在墙根或屋顶上的一年生蔓生草本植物。依靠卷须缠绕支架向上生长。叶子像南瓜叶，但是更软一些。夏季，盛开白色的花朵。花朵在傍晚时分盛开，第二天早上合拢。果实的形状像鸭梨，散发着白玉般的光泽。果实完全成熟后，外壳异常坚硬，要用锯才能锯开。还有一种葫芦，长得像长颈瓶一样，叫作“长柄葫芦”。 10米 7 ~ 9月 8 ~ 10月

葫芦 Gourd

南瓜 Pumpkin

甜南瓜
味道很甜，因为有板栗的味道，所以也被称为“板栗瓜”。

南瓜 种植在旱田中的一年生蔓生草本植物。依靠卷须缠绕支架向上生长。春天播种，从初夏到秋天都可以采摘。花朵为黄色，形状像漏斗，雌花下面会结果实。小南瓜形状稍长或是圆圆的，熟透的南瓜则是又宽又平。 6 ~ 9月 6 ~ 11月

千屈菜 生长在小河边或潮湿的草地中的多年生草本植物。夏季，美丽的粉色花朵层层开放。叶子小，末端尖，两片叶子在茎上相对生长。 1米 6～8月 9月

千屈菜 Loosestrife

菱 Water Chestnut

菱科

菱 生长在池塘或沼泽中的一年生草本植物。根扎在泥土中，茎很长，叶子浮在水面上。如果河水上涨，茎很容易断开，菱就会随水漂流生长。叶子呈菱形，聚成圆圆的一团，像坐垫一样。菱的叶柄长有鼓鼓的气囊，所以可以浮在水面上。夏天，盛开白色的花朵。花朵凋谢后，长出果实——菱角，菱角在水中生长。菱角表面长有高低不平的鼓包，末端有刺。
6～8月 9月

菱角又被称为“水栗”。坚硬的外壳里面是白色的果肉，味道很像栗子。

柳叶菜科

丁香蓼 生长在水田或水边的一年生草本植物。叶子长得像水蓼的叶子，果实像针，所以在有些地方也被叫作“针水蓼”。叶子很有光泽，秋季，茎叶会变成枫叶一样的红色，叶腋盛开黄色的花朵。花谢后，花瓣下面的子房逐渐变长，结出果实。 30 ~ 80厘米 9月 10月

丁香蓼
Climbing Seedbox

月见草
Common Evening Primrose

穗状狐尾藻
Spike Watermilfoil

月见草 生长在路边或野地上的二年生草本植物。它的故乡在智利，现在中国各地都普遍种植。因为会在傍晚时分盛开黄色的花朵，早上枯萎，所以被称为“月见草”。茎粗且结实。叶子像柳叶一样细长。花朵在夏季盛开，会结出很多短棍状的果实。果实成熟后会裂为四瓣，芝麻粒一样的种子随之弹出。月见草依靠嫩叶过冬。

50 ~ 90厘米 6 ~ 10月 9 ~ 10月

月见草的果实

桃金娘目 小二仙草科

穗状狐尾藻 蔓延生长在池塘或沼泽中的多年生草本植物。形状像洗碗时用的丝瓜瓤，所以在一些地方被叫作“水丝瓜瓤”。根茎在泥土里匍匐生长，另一些茎向上生长，末端浮在水面上。羽毛一样细细分裂的叶子以四片为单位在茎节轮生。夏季，茎顶端长出花穗。穗状狐尾藻也适合养在鱼缸中。

50厘米 7 ~ 8月 10月

樱草 生长在阴凉潮湿山谷中的多年生草本植物，也有人将它种植在花盆里。叶子在根部聚集生长，有皱褶和茸毛。春天，花茎顶端盛开粉红色的花朵。花的顶端分裂成五瓣，每个裂片的样子都很像心脏，裂片的底部联合成细管状。

10 ~ 20厘米 ✱4 ~ 5月 7 ~ 8月

萝藦的种子长有很长的毛，可以乘风散播到很远的地方。

樱草 Primerose

萝藦 Metaplexis

夹竹桃科

萝藦 生长在山脚或田野中的多年生草质藤蔓。果实形似葫芦。秋季，果实成熟后，会自动裂成两半，露出种子。种子柔软，长有长毛，可以乘风飞向远方。萝藦依靠茎缠绕树木向上生长。夏季，盛开小海星一样浅紫色的花朵。叶子微厚，光滑，顶端尖细。切断叶子或藤蔓，会流出白色的汁液。

✱7 ~ 8月 10 ~ 11月

荇（xìng）菜　生长在池塘或沼泽中的多年生草本植物。夏季，金黄色的花朵在水上盛开，花的边缘有细齿，看起来好像是黄色的衣服线头。长长的根状茎向两侧生长，另一些茎细长，向上生长。叶子浮在水面上，有手掌大小，略圆，一侧的末端分裂。　✱7 ~ 9月　●9 ~ 10月

荇菜
Yellow Floatingheart

金银莲花 Water Snowflake

金银莲花　生长在池塘或沼泽中的多年生草本植物。夏季，白色的花朵在水上盛开。花朵中间呈金黄色，边缘有长毛，看起来好像是白色的衣服线头。与荇菜相比，金银莲花的叶子更大，而花朵却小得多。荇菜花比 1 元硬币还要大，而金银莲花的花朵只有 5 角硬币那么大。　✱7 ~ 8月　●10月

红薯 种植在旱田中的一年生蔓生草本植物。红薯的故乡是南美洲亚热带地区，属于多年生植物，但是在温带地区无法过冬，只能生长一年。遇上寒霜，红薯会被冻死。春天播种，秋天可以采挖。长期存放的红薯会发芽、长茎，这时，将一部分茎剪下栽种，到了夏季，茎就会长得很长，覆盖田埂。红薯的叶柄很长，叶子呈心形。 3米 7 ~ 8月

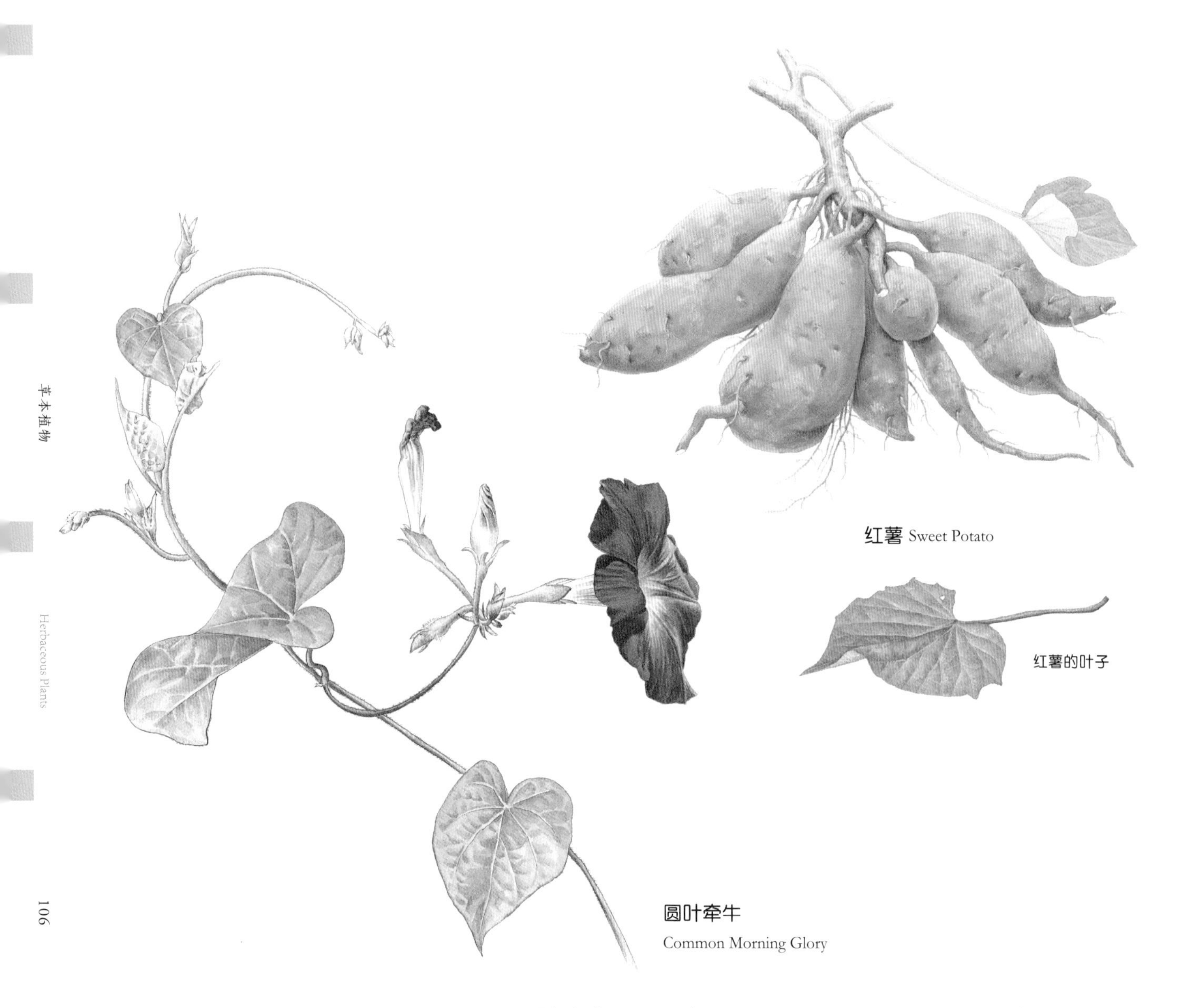

红薯 Sweet Potato

红薯的叶子

圆叶牵牛
Common Morning Glory

圆叶牵牛 种植在花田中的一年生草质藤蔓。夏季，开出喇叭形状的花朵，颜色有紫色、粉红色和蓝色。花朵在清晨盛开，中午时就会卷缩。圆叶牵牛依靠茎一圈一圈缠绕树木向上生长。果实为球形，成熟后会分裂成三瓣，露出六粒黑色的种子。 3米 7 ~ 8月 10 ~ 11月

圆叶牵牛的果实
成熟后会分裂为三瓣，
每瓣含有两粒种子。

旋花的块根蒸煮后，有红薯的味道。

旋花 生长在山脚或野地上的多年生缠绕草本植物。藤蔓缠绕其他植物向上生长。夏季，开出像牵牛花一样浅粉红色的花朵。与牵牛花不同的是，旋花在白天盛开，傍晚枯萎。旋花在地下结有白色的块根，块根有红薯的味道，可以在早春挖出来吃。 50 ~ 100厘米 6 ~ 8月

旋花
Japanese Bindweed

打碗花
Japanese False Bindweed

附地菜
Common Trigonotis

打碗花 生长在山脚或野地上的多年生缠绕草本植物。比旋花更加常见。因为花朵小，所以也被叫作“小旋花”。与旋花不同，打碗花的叶子末端像箭头一样尖。打碗花既能在草地上很好地向上生长，也能在公园里缠绕篱笆生长。因为扎根很深，即使将藤蔓剪掉，打碗花也依然能顽强地活下来。
20 ~ 70厘米 5 ~ 8月

紫草科

附地菜 生长在草地或田埂上的一年生或二年生草本植物。早春，盛开天蓝色的花朵。花莛（tíng）在茎部顶端呈旋转状，所以也被称为“卷花”。花朵盛开时，从下面向上渐渐展开。花的末端分裂为五片，中间呈黄色。初夏时虽然可以看到附地菜的花朵，但是因为植株很矮，花朵也很小，所以一旦其他花盛开后，附地菜便非常不起眼了。只有蹲下来看，才会知道它开花了。 10 ~ 30厘米 3 ~ 7月 6 ~ 8月

宝盖草 生长在草地中或路边的一年生或二年生草本植物。春季，茎端的叶腋中盛开紫色的花朵，花朵看上去就像是有人将衣袖拢到前面跳舞一样。叶子两片对生，上部的叶子没有叶柄，所以看起来像是叶子将茎包围起来。茎呈四棱形。

10～30厘米 3～5月 7～8月

宝盖草 Henbit

夏枯草 Selfheal

夏枯草只要种植一次，以后种子掉落，每年都会开花。

即使凋谢，干枯的花朵也会维持原来的样子，直至秋天。

夏枯草 生长在向阳山脚或草地中的多年生草本植物。夏季，盛开紫色的花朵，花朵里含有很多花蜜。因为花穗长得像木棒，所以也被称为“棒槌草”。采下花瓣吸吮末端，能尝到甜味。茎呈四棱形，稍长，叶子前端尖锐，相对生长。紫色的嫩芽可以作为野菜食用。 30厘米 5～7月 7～8月

一串红　种植在花田中的一年生草本植物。从初夏开始直至秋天，红色的花朵会层层绽放。采下像舌头一样调皮伸出来的花朵，从尾部吮吸，可以尝到甜味。一串红的叶子像紫苏叶。果实为黑色，像芝麻粒一样小。

🌿 60 ~ 90厘米　✱ 4 ~ 10月　🍎 7 ~ 10月

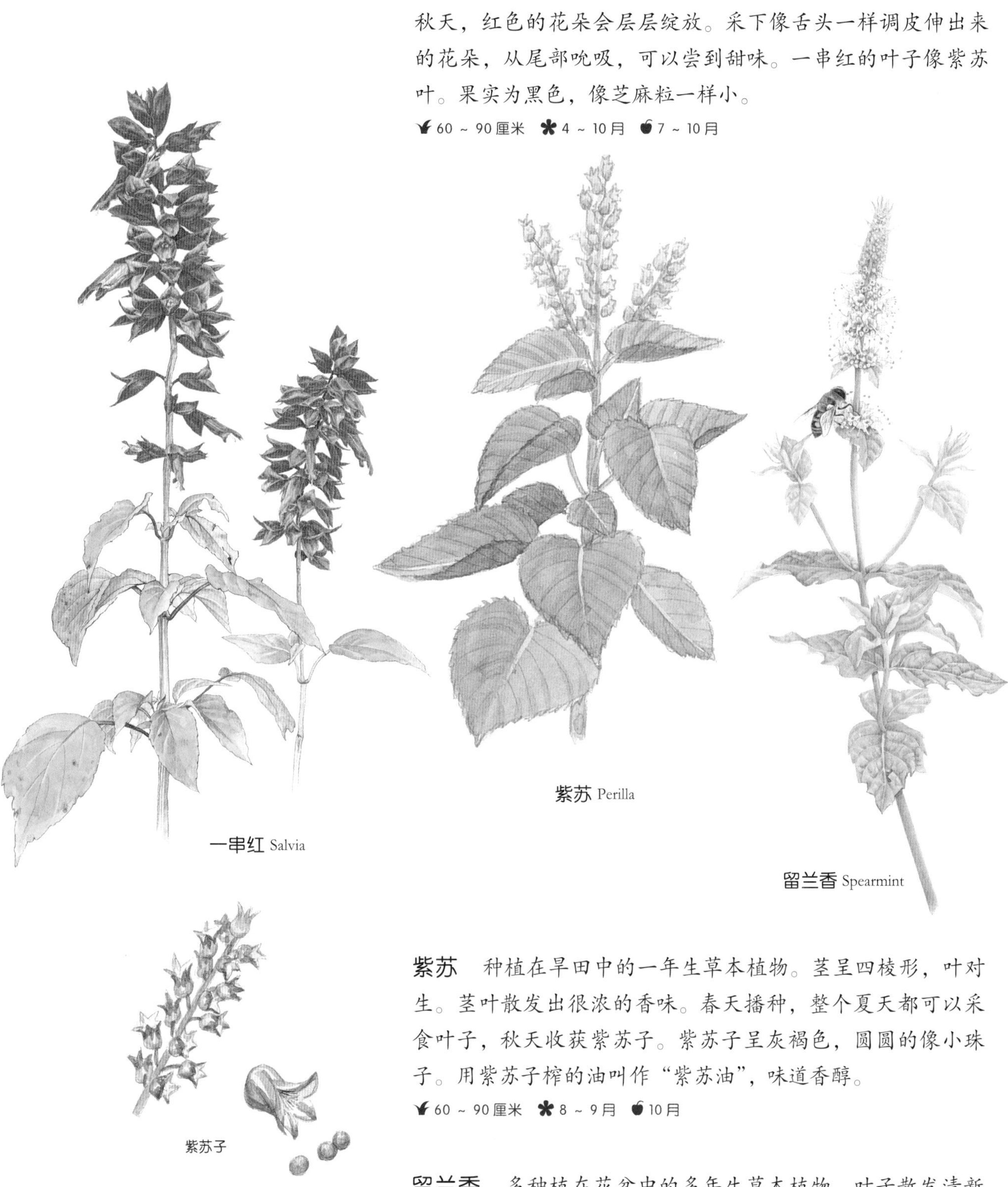

一串红 Salvia

紫苏 Perilla

留兰香 Spearmint

紫苏子

紫苏　种植在旱田中的一年生草本植物。茎呈四棱形，叶对生。茎叶散发出很浓的香味。春天播种，整个夏天都可以采食叶子，秋天收获紫苏子。紫苏子呈灰褐色，圆圆的像小珠子。用紫苏子榨的油叫作“紫苏油”，味道香醇。

🌿 60 ~ 90厘米　✱ 8 ~ 9月　🍎 10月

留兰香　多种植在花盆中的多年生草本植物。叶子散发清新的薄荷味香气，可以用来泡茶，也可以将香料提取出来，添加到口香糖、牙膏和糖之中。夏天，茎顶端会层层盛开浅紫色的花朵。叶子对生。　🌿 50厘米　✱ 7 ~ 9月　🍎 9 ~ 10月

二十八星瓢虫靠啃食酸浆、马铃薯、茄子等茄科植物生存。

酸浆 种植在花田中的多年生草本植物，也有一些生长在野地上。把酸浆的果实放在舌头上向下压，会发出“哔哔”的声音。夏季，盛开像辣椒花一样的浅黄色花朵。花朵凋谢后，花托变宽，将果实包起来。秋天果实成熟，外形像红色的灯笼，“灯笼”皮里面结着圣女果一样的球形果实。酸浆也叫作“灯笼草”。 40 ~ 90 厘米 5 ~ 6 月 8 ~ 9 月

酸浆 Ground Cherry

马铃薯 Potato

马铃薯的果实长得像圣女果一样。

马铃薯 种植在旱田中的多年生草本植物。我们平时吃的马铃薯是它的块茎。早春，马铃薯开始发芽，初夏，盛开白色或紫色的花朵。果实长得像圣女果一样，但是不能食用。夏至前后便可以收获马铃薯了。马铃薯的块茎长期接受阳光的照射就会变青，产生毒素，不能食用。

60 ~ 100 厘米 5 ~ 6 月 7 ~ 9 月

龙葵　生长在旱田田埂或路边的一年生草本植物。叶子与辣椒叶子很像。从早春开始，盛开像辣椒花一样的小白花。果实圆圆的，像珠子一样，最初呈绿色，秋天成熟后变成黑色。果实里面含有种子，看起来与番茄的种子相似。嚼一嚼果实，味道酸酸甜甜的。　20 ~ 90厘米　6 ~ 9月　7 ~ 10月

茄子 Eggplant

龙葵 Black Nightshade

茄子花　→　小茄子

茄子　种植在旱田中的一年生草本植物。春天播种，整个夏天都可以采摘果实。紫色的茎部长有椭圆形的叶子，叶脉也呈紫色。夏季，盛开浅紫色的花朵。果实起初就是紫色，成熟后还是紫色。表皮像包裹着一层塑料膜，十分光鲜。茄子蒂像辣椒蒂一样歪歪扭扭的，上面长有刺。

60 ~ 100厘米　6 ~ 8月　6 ~ 8月

圣女果

番茄 种植在旱田中的一年生草本植物。春季播种，夏季可以采摘果实。番茄的茎叶和果实散发着辣酥酥的气味。虽然茎很粗，但是因为枝条太多，所以通常无法保持直立。种植时人们一般会在旱田中树立架子，将它捆绑在上面。初夏，盛开黄色的花朵，然后结果实，种子很像辣椒种子。像大枣一样大小的番茄叫作“圣女果”。 1米 5～8月 6～8月

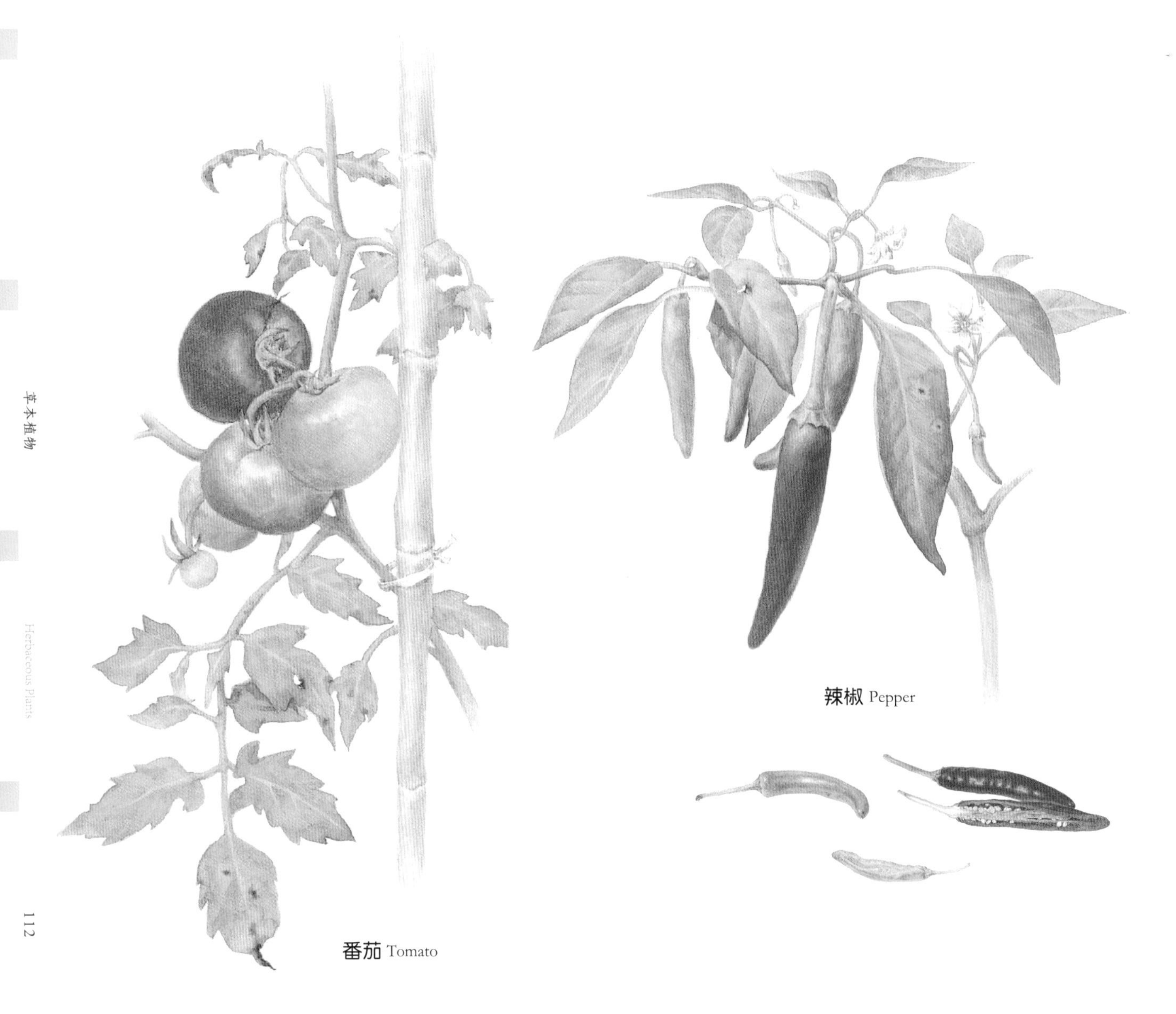

辣椒 Pepper

番茄 Tomato

辣椒 种植在旱田中的一年生草本植物。春季播种，夏季每个叶腋都会开出白色的花朵。花朵绽放的位置结深绿色的果实，能长到成人手指大小。果实成熟后，变成红色，其中含有黄白色的种子。辣椒越成熟越辣，有种果实皱瘪瘪的辣椒被叫作“尖椒”。 60厘米 6～9月 8～10月

菜椒 种植在旱田中或大棚中的一年生草本植物。虽然果实像胖一些的辣椒，但味道却甜而清爽。菜椒也被称为“甜辣椒”或“柿子椒”，茎、叶、花朵都酷似辣椒。果实成熟后呈黄色、橘红色、红色等颜色，外皮很厚，里面中空，种子像球一样聚集在蒂的正下方。与辣椒不同，人们一般不会将菜椒晒干或者磨成粉末。 60厘米 ✱6～8月 9月

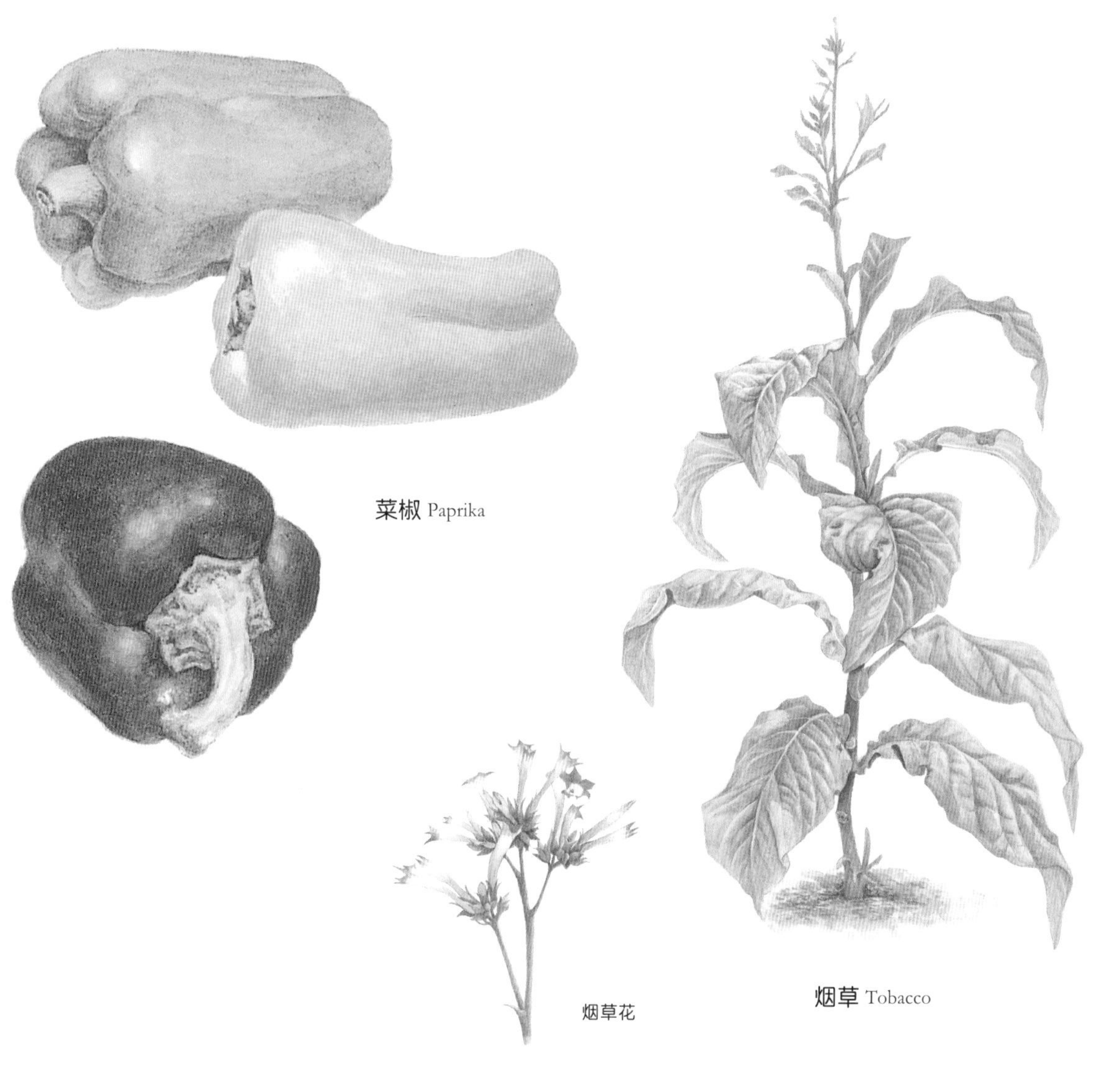

菜椒 Paprika

烟草花

烟草 Tobacco

将烟草叶子晒干磨成碎末，用纸卷起来，就变成大人们抽的“香烟”了。

烟草 种植在旱田的一年生草本植物。叶子晒干后可以制作“香烟”。春季栽种，到了夏天就会长得比成年人还要高。茎像木棍一样粗，叶子可长达50厘米。茎叶上长有软软的茸毛，并含有黏黏的汁液。嫩叶类似于白菜叶子。夏季，茎顶端开出紫茉莉一样的粉红色花朵。一般来说，人们种植烟草只为采摘叶子，所以，只要烟草开花，人们就会将花轴折断扔掉。

1.5～2米 ✱7～8月

北水苦荬（mǎi） 生长在水边的多年生草本植物。初夏，盛开浅紫色的小花。虽然花朵看上去好像有四片花瓣，但其实属于合瓣花，即花凋谢时整朵花会一起掉落。花序像动物尾巴一样蓬蓬的，所以常被称为“水狗尾草”。茎部充满水分，中空。 40 ~ 80厘米 5 ~ 7月 9 ~ 10月

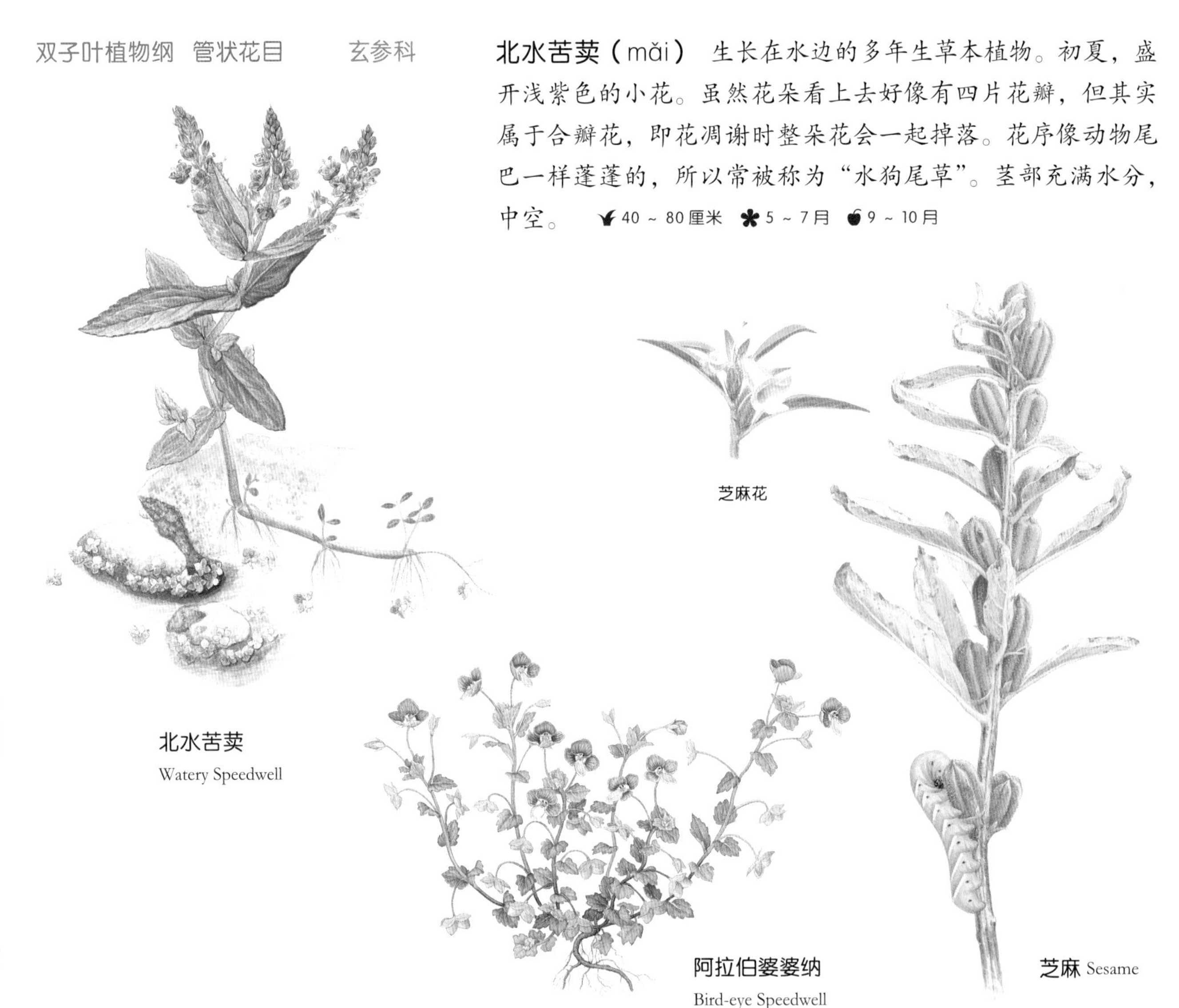

北水苦荬
Watery Speedwell

阿拉伯婆婆纳
Bird-eye Speedwell

芝麻 Sesame

阿拉伯婆婆纳 生长在路边或野地上的二年生草本植物。春天，矮小的植株一点一点向上生长，开出像小孩儿指甲一样大小的天蓝色花朵，看起来像是在草地上撒满了蓝色的星星。花朵看上去好像有四片花瓣，但其实是合瓣花。阴天时，花朵卷缩在一起，稍一触碰便会掉落。

10 ~ 30厘米 3 ~ 6月 7月

芝麻科

芝麻 种植在旱田中的一年生草本植物。春季播种，秋季便可收获种子。茎有竖沟，长着密密麻麻的软毛。7 ~ 8月，叶腋处开出浅粉色的花朵，像花苞一样的果实一层一层挂在上面，花朵和果实上都长有茸毛。果实成熟后分裂为两瓣或三瓣，要在芝麻的小种子散开之前将果实收割并晒开。用芝麻种子榨的油叫作“芝麻油”。 1米 7 ~ 8月 9月

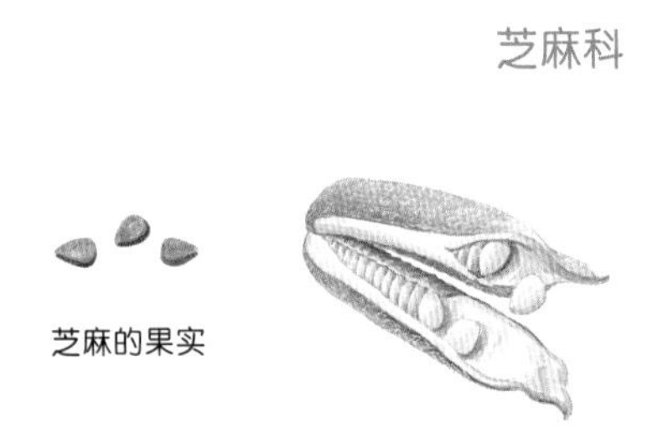

芝麻的果实

狸藻科

狸藻

生长在池塘或水田中的多年生草本植物。狸藻没有根，浮在水上生长。叶子如细线，像羽毛一样裂开。叶子之间长有圆圆的捕虫囊，很像捕鱼时用的鱼笼。若有虫子触碰到了捕虫囊口的纤毛，捕虫囊便会打开盖子，捕捉虫子。夏末，会在水面上开出黄色的花朵。 10 ~ 20厘米 7 ~ 9月

狸藻的捕虫囊

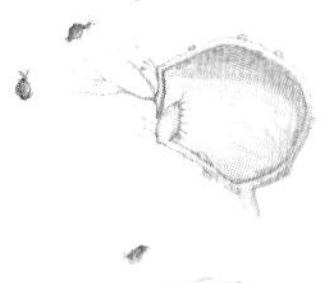

虫子碰触到纤毛。

打开盖子。

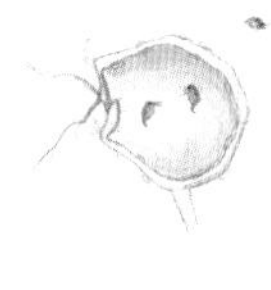

关闭盖子，将虫子溶解后吸收掉。

狸藻 Bladderwort

车前 Asian Plantain

车前目 车前科

车前

生长在路边或野地上的多年生草本植物。车前无论被踩踏多少次，都会顽强地恢复过来。扎根深，叶子坚韧，形似饭勺。叶柄很长，叶脉纵向排列。初夏，花轴向上生长，开出非常小的花朵。因为车前主要靠粘在人们的鞋子上或雨水冲刷来传播种子，所以一般不会生长在茂密的树林里，但树林里如果有登山道，往往就能看到它们的身影。

10 ~ 50厘米 4 ~ 8月 6 ~ 9月

桔梗 生长在山中的多年生草本植物，人们也会将桔梗根挖出种在旱田中。夏季，盛开紫色或白色的花朵。花苞像气球一样鼓鼓的，盛开后，花会裂成五瓣。种子比沙粒还要小。秋冬季节播种，经过 2 ~ 3 年可以将根挖出来。

40 ~ 100 厘米 ✱7 ~ 8 月 9 月

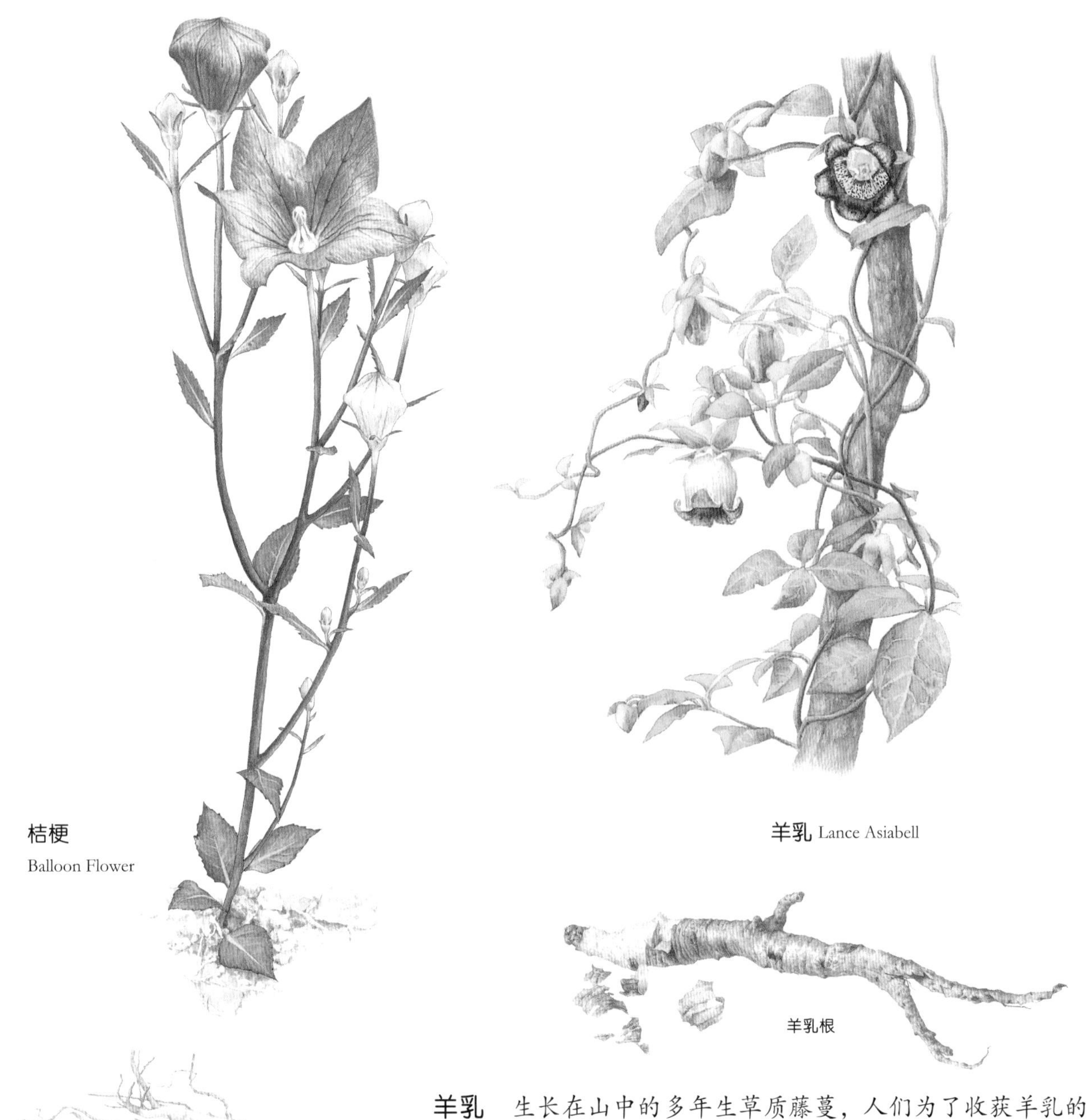

桔梗
Balloon Flower

羊乳 Lance Asiabell

羊乳根

桔梗根

羊乳 生长在山中的多年生草质藤蔓，人们为了收获羊乳的根，也会将其种植在旱田中。整株植物都散发特殊的臭味。茎缠绕其他植物向上生长，叶子每四片对生。夏季会盛开像编钟一样的花朵，花朵下垂开放。花的内部呈紫色，外部呈青色。根比桔梗根粗，凹凸不平。羊乳全株都含有乳白色的汁液，别名“奶树”。 2 米 ✱8 ~ 9 月 9 ~ 10 月

紫斑风铃草 生长在山脚或草地中的多年生草本植物，有时也被种植在花田里。初夏，盛开灯笼一样的白花，花朵下垂，看起来像是挂着一串串用楮皮纸作的纸灯笼。

40 ~ 100厘米 5 ~ 7月 8 ~ 9月

紫斑风铃草 Spotted Bellflower

半边莲
Chinese Lobelia

半边莲 生长在水边或水田里的多年生草本植物。植株低矮，密密麻麻地成片生长，好像将水田铺满了一样。从初夏到初秋，盛开浅粉色的花朵，花朵会裂成五瓣，侧端两瓣成"一"字形，中间三瓣互相挨着。采下一朵花放在鼻子下方，看起来就像长了胡子一样。向阳的水边常有半边莲生长，但是并不起眼。茎下面部分在地面爬行，上面部分直立生长。

3 ~ 15厘米 5 ~ 9月 8 ~ 10月

牛蒡（bàng） 种植在旱田中的二年生草本植物。根像木棍一样又长又直，有些牛蒡的根可以在地底延伸 1.5 米及以上。将根挖出来，可以作为蔬菜食用。叶子从根部成堆生长，叶柄很长，叶子很大，背面长有白茸毛。盛夏，开出酷似蓟花的紫色“花朵”*，凋谢后会结出密密麻麻的果实，聚在一起像毛栗子一样。 50 ~ 150 厘米 6 ~ 8 月 8 ~ 10 月

* 菊科植物的“花朵”实际上通常是由许多无柄小花密集组合在一起的头状花序。

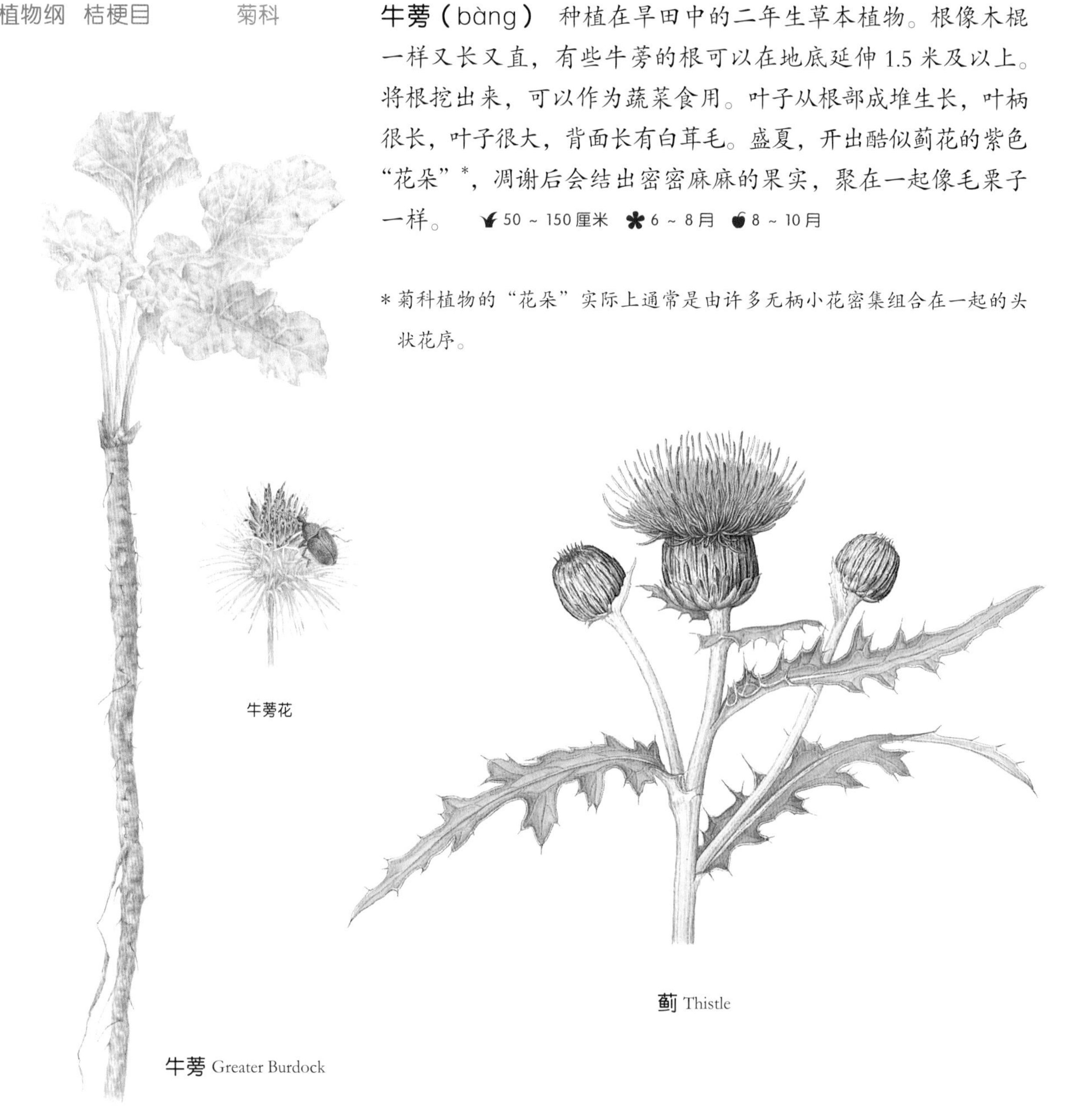

牛蒡花

牛蒡 Greater Burdock

蓟 Thistle

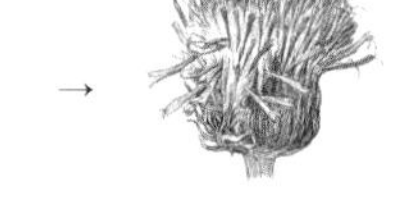

蓟花衰败， 小花变成一个个小小的果实。

随风飘向远方。 果实成熟，

蓟（jì） 生长在山脚或草地中的多年生草本植物。叶子上面长有尖刺，所以也常被称为“刺菜”。茎上的白色茸毛像蜘蛛网一样互相缠绕。夏季，数百朵像线一样细的紫色的花灿烂绽放，聚集在一起，组成的花序形状像个厕所刷。蓟花含有很多花蜜，常会吸引蝴蝶等昆虫到来。

50 ~ 100 厘米 6 ~ 8 月 9 月

翠菊 种植在花田中的一年生草本植物。粉红色、红色、紫色的“花”会盛开一整个夏天。翠菊的“花”很像菊花，但没有香气。野生种分布在中国华北、东北一带，18世纪时被引入欧洲，改良为花大且颜色艳丽的栽培品种后，又被重新引回国内。 30 ~ 100厘米 8 ~ 9月 10月

翠菊 China Aster

山马兰 Mountain Kalimeris

各种各样的野菊花

野菊　日本野菊　木茼蒿

在山中盛开的菊科植物的“花”统称“野菊花”。

山马兰 生长在山脚或原野中的多年生草本植物。秋季，盛开浅紫色的“花”，十分惹人喜爱。茎细，分生出很多枝，常会向旁边倾斜生长。将山马兰的嫩芽放在水里焯一下，可以作为野菜食用。 30 ~ 100厘米 7 ~ 10月 10 ~ 11月

一年蓬 生长在原野或路边的一年生或二年生草本植物，原产自北美洲。从夏季到初秋，盛开白色和黄色的花，组成的头状花序很像煎好的鸡蛋。茎和叶子上长有毛，茎分枝很多。

30 ~ 100 厘米 6 ~ 9月 9 ~ 10月

一年蓬
Eastern Daisy Fleabane

小蓬草 Horseweed Fleabane

小蓬草 生长在原野或路边的一年生或二年生草本植物，原产自北美洲。夏季，小白花密密地挂在枝头。因为花序细小，所以也被称为“小花草”。比起花序，长有白茸毛的果实反而更加引人注意。小蓬草在荒地中也能很好地生长。

1.5 米 6 ~ 9月 9 ~ 10月

将蜂斗菜的叶柄和嫩叶放在水里焯一下，可以作为野菜食用。

蜂斗菜　生长在旱田田埂的多年生草本植物。春天，花莛伸出地面，淡黄色的花序聚集在一起，好像形成了一个花球。根茎横向延伸生长。蜂斗菜花凋谢之际，叶子会从根茎上长出。叶柄很长，叶子很大，看起来像南瓜叶。

30 ~ 60厘米　4月　6月

蜂斗菜的花序

蜂斗菜 Japanese Sweet Coltsfoot

百日菊 Elegant Zinnia

百日菊　种植在花田中的一年生草本植物。现在栽培的百日菊是墨西哥原生种的改良品种。从初夏开始一直到霜降，红色、黄色、紫色的“花”会一直绽放。因为花期很长，所以被称为“百日菊”。遇到轻微干旱，百日菊也不会枯萎。茎笔直地插在土地里，“花”面向天空开放。百日菊只要种植一次，便会在生长的地方落下果实和种子，第二年又会长出来。

60 ~ 90厘米　6 ~ 10月　10月

向日葵只有里面的花才会结出果实。

向日葵 种植在花田或村庄里的一年生草本植物。植株高大，花轴可以长到高出院墙。盛夏时，开出像太阳一样圆圆的大花盘。花盘非常大，足有蒲篮大小，边缘的黄色条状物叫作“舌状花”，中间密密麻麻排列在一起的叫作“管状花”，只有管状花才能结果实。茎粗壮且结实，长有硬毛。即使果实成熟后，茎依然会笔直地立在那里。

2米 8 ~ 9月 10月

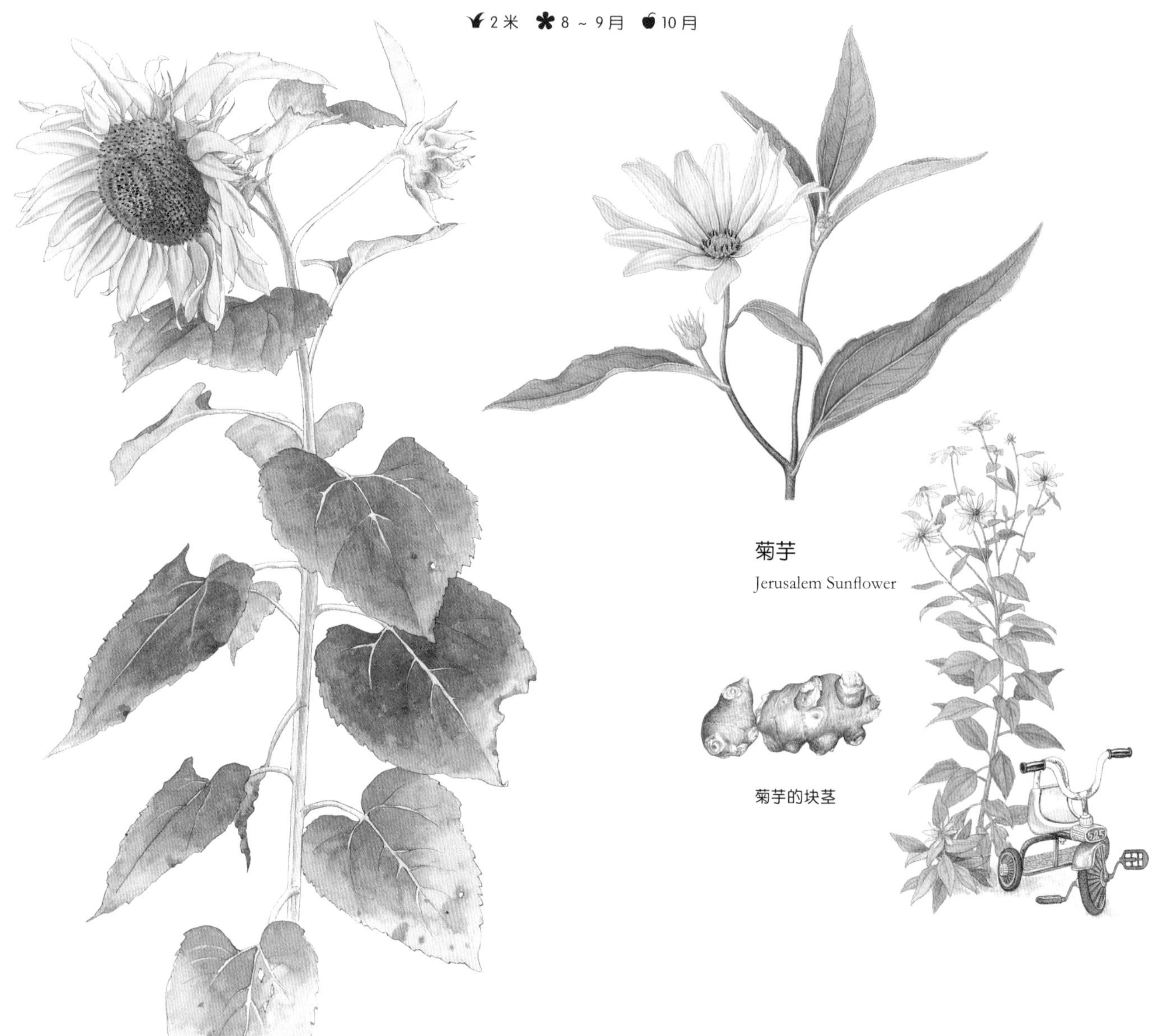

菊芋 Jerusalem Sunflower

菊芋的块茎

菊芋 生长在草地或路边的多年生草本植物。无论是叶子还是花朵，菊芋都与马铃薯无一丝相似之处，但却出乎意料地在地下长着像马铃薯一样的块茎。菊芋的块茎不好吃，经常被用来喂猪。植株高大，歪歪扭扭地向上生长。秋季，开出形似向日葵的黄色花序。将块茎种下，每年这个地方都会长出新植株。 1.5 ~ 3米 8 ~ 10月 10 ~ 11月

向日葵 Sunflower

秋英 种植在花田或路边的一年生草本植物，也常被叫作“波斯菊”。从夏末开始，盛开粉红色、紫色、白色的“花”。茎很细，叶子也像线一样细。搓一搓茎和叶子，会闻到辣酥酥的味道。秋英原产于墨西哥，在哥伦布发现新大陆后由水手们带回欧洲，之后传播到世界各地。

🌱1 ~ 2米 ✽8 ~ 10月 ●10 ~ 11月

秋英 Garden Cosmos

艾草 Mugwort

艾草的嫩叶

茼蒿 Crowndaisy

艾草 生长在向阳的旱田田埂或草地中的多年生草本植物。根茎向周围延伸生长。在疏松的土地上拔起一棵艾草，根茎会随之被带上来，从而周围多棵艾草都会被连带拔出。茎部直立，密密麻麻长满白色细毛。夏季，开出红色的“花朵”，但因为“花朵”过小，并不显眼。嫩叶可以作为野菜食用，长大的叶子和茎可以作为药材使用。

🌱60 ~ 120厘米 ✽7 ~ 9月 ●9 ~ 10月

茼蒿 种植在旱田中的一年生或二年生草本植物。春季播种，初夏可以采摘叶子食用。叶子与艾草叶非常相似。茎和叶没有毛，很光滑，有香味。初夏，枝端会开出金黄色的“花朵”，“花朵”大且颜色鲜艳，像观赏花一样漂亮。

🌱30 ~ 60厘米 ✽5 ~ 6月 ●8月

菊花 多被盆栽种植的多年生草本植物。秋季，茎部顶端会开出红色、白色、黄色的“花朵”，令人赏心悦目。大的“花朵”有汤碗那样大，也有的像硬币一样小。“花朵”和叶子散发出浓烈的香气。茎很硬挺，叶子稍厚，表面光滑。

1米 9～10月 11月

野菊 Indian Chrysanthemum

菊花 Chrysanthemum

野菊 生长在山脚的多年生草本植物。秋季，如成人指甲大小的金黄色“花朵”成堆绽放。茎叶都酷似菊花，花香隐隐，具有甜味。野菊晒干后可以用来泡茶。

60～90厘米 9～10月 11月

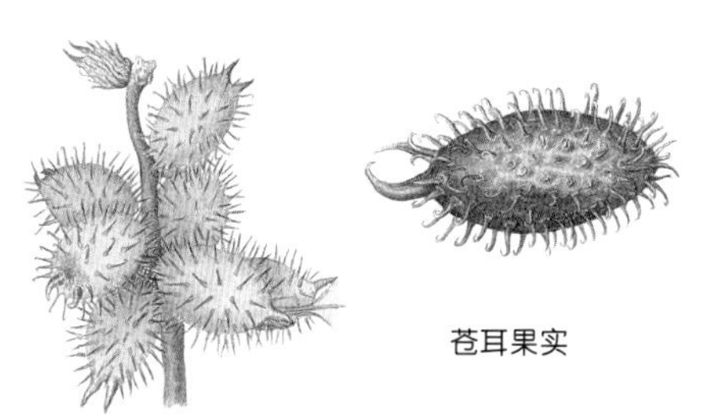

苍耳果实

苍耳 生长在草地或野地上的一年生草本植物。秋季，果实成熟，形状像橄榄球一样，四周长满尖刺。刺端弯成钩状，可以粘在人的衣服上。叶子呈宽三角形，末端尖细。夏季时会开出黄色的“花朵”。秋季，果实成熟。每颗果实里面含有两粒种子。 1.5米 8 ~ 9月 10月

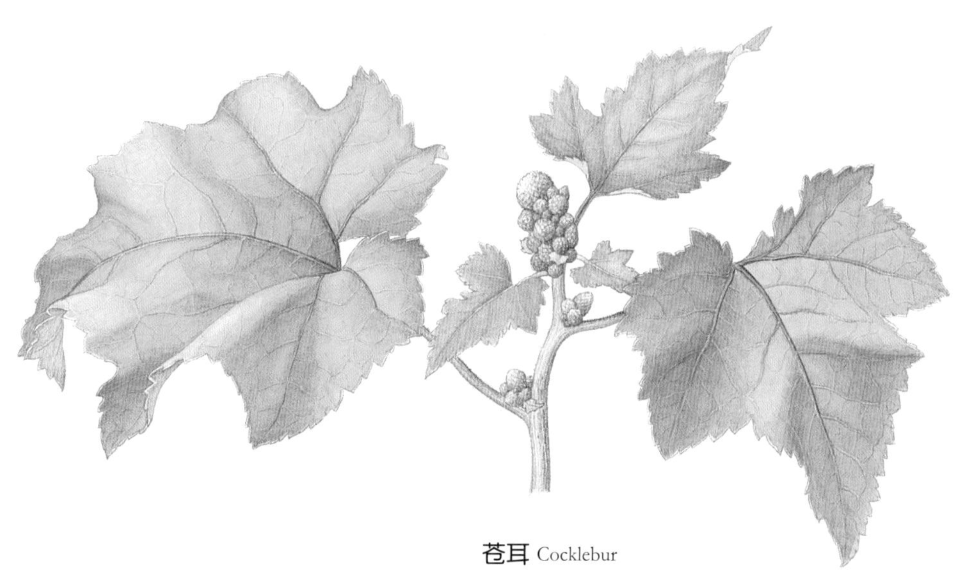

苍耳 Cocklebur

药用蒲公英 Dandelion

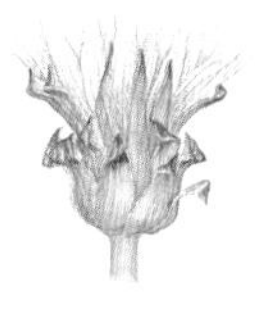

蒲公英的总苞会托着花朵。

药用蒲公英的总苞会向下翻。

药用蒲公英 生长在向阳草地中的多年生草本植物。根深，叶子从基部向上生长，像矛一样伸向四方，围成一个圆形。切开茎和叶子，会流出白色的液体。叶子中间抽出长长的花轴，绽放黄色的“花朵”。花凋谢后，整个果序会膨胀成类似棉花糖的形状。风轻轻一吹，果实便会随风飞向远方。

8 ~ 15厘米 3 ~ 9月 5 ~ 10月

中华苦荬菜的基生叶

中华苦荬菜 生长在向阳草地中的多年生草本植物，是一种常见的野花。也叫“苦荬菜”“中华小苦荬”。早春之际，将中华苦荬菜连根拔起，可以作为野菜食用，味道略苦。初夏，黄色的总花苞悬挂于枝头。切开茎和叶子，会流出白色的液体，味道很苦。当作野菜的时候，可以先放入水中泡一下，去除苦味后再食用。 25 ~ 50厘米 5 ~ 6月 7 ~ 8月

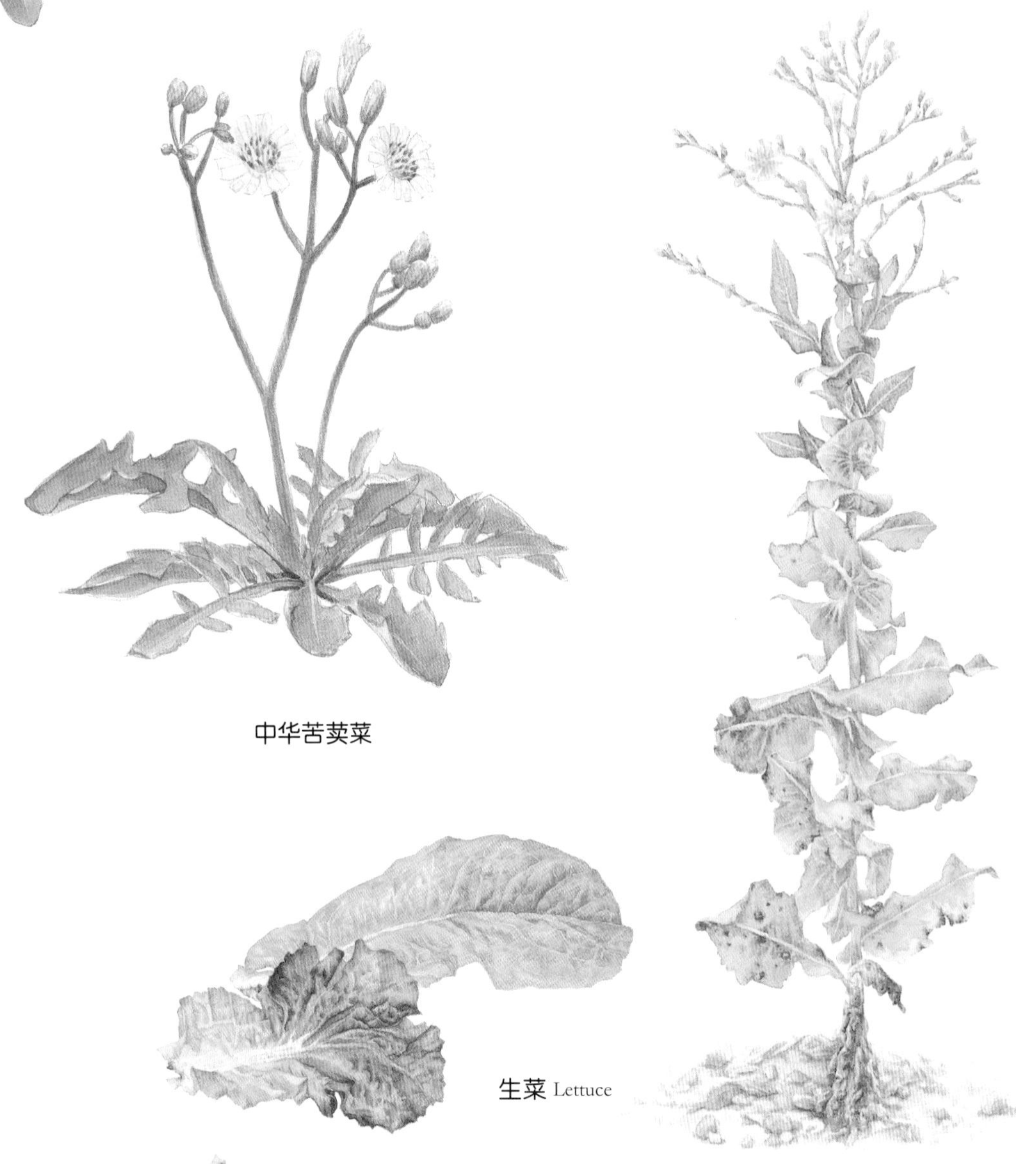
中华苦荬菜

生菜 Lettuce

生菜 种植在旱田中的一年生或二年生草本植物。春季种植，在初夏之前都可以采摘叶子食用。基生叶薄且宽大，仿佛可以随风轻舞。初夏，花轴会高高升起，开出黄色的“花朵”。茎叶很硬。扯下一片生菜叶，会流出白色的汁液。在雨季到来、天气变热后，生菜的叶子会变硬，无法食用。

90 ~ 120厘米 6 ~ 7月 8月

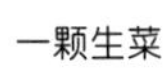
一颗生菜

苦苣菜等菊科植物的一朵朵小花会变成果实。

苦苣菜 生长在路边或山坡上的一年生或二年生草本植物。“花朵”很像蒲公英，呈金黄色，茎和叶子像蓟一样坚硬。从春季到秋季，会一直开花。众多小花组成头状花序，之后便会卷缩。花掉落后，每粒果实会长出软毛，聚集成球形，好像棉花糖一样。果实会随风飘向远方。

30 ~ 100厘米 ✱ 5 ~ 9月 9 ~ 10月

苦苣菜 Sow Thistle

翅果菊的叶子

翅果菊
Indian Lettuce

翅果菊 生长在草地中的一年生或二年生草本植物。也叫“土莴苣”“山莴苣”。茎粗大，植株很高。依靠种子或基生叶过冬，春季茎向上生长。叶子细长，末端尖尖的。夏末，枝头会绽放浅黄色的“花朵”。切开茎和叶子，会流出白色的汁液，带有苦味。从春季到初夏，都可以采摘叶子食用。兔子和牛也非常喜欢吃翅果菊。 1 ~ 2米 ✱ 7 ~ 9月 9 ~ 10月

东方香蒲 遍布在池塘或江边的多年生草本植物。叶和茎从泥中伸出，向两侧生长。茎高大，很光滑。夏季，黄色的雄花穗长在酷似香肠的雌花穗上面。秋季，果实成熟后，长有白色茸毛的种子便会随风飘散。东方香蒲的叶子和花穗都会随风抖动，就连授粉的时候花穗也会抖来抖去。

1 ~ 2米 6 ~ 7月

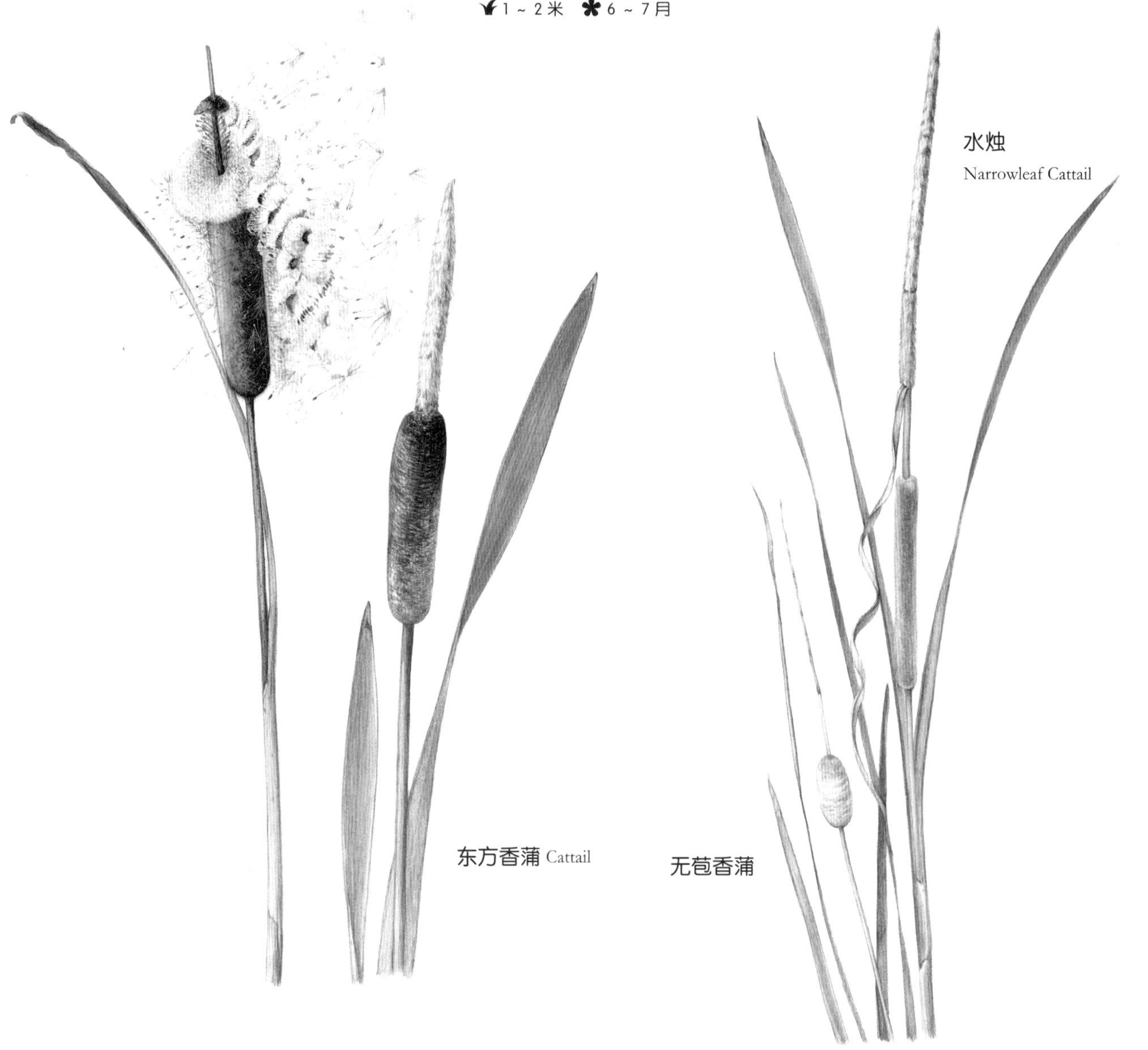

水烛 遍布在池塘或江边的多年生草本植物。与东方香蒲相比，水烛的花穗更长一些，且雌花穗和雄花穗之间有一段空隙。 1 ~ 1.5米 6 ~ 7月

无苞香蒲 与东方香蒲和水烛相比，无苞香蒲的雌花穗更短一些，植株也更矮。 80 ~ 120厘米 6 ~ 7月

泽泻目　　泽泻科

野慈姑　生长在水田中或沟边的多年生草本植物，常分布在水稻田里。叶子长得像长长的箭头。夏季，高高的花莛上白花层层开放。长有黄色花蕊的是雄花，长有绿珍珠一样圆球状花蕊的是雌花。　80厘米　7～9月　9～10月

野慈姑
Arrowhead

眼子菜科

眼子菜　生长在池塘或水田中的多年生草本植物。眼子菜的茎会从泥土中伸出来，浮在水面上的叶子微厚且光滑，沉在水中的叶子又薄又窄，叶柄很长。夏季，开出一串黄绿色的花朵，看起来像是突然在水面升起的花棒。

10～60厘米　7～8月

菹（zū）草　沉在江中或池塘中的多年生草本植物。根茎向旁边蔓延生长，茎节处会长出新根，另一种茎向上生长。菹草的茎和叶子沉在水中，叶子像绳子一样细长，边缘呈波浪状。夏季，栗色的花穗伸出水面。冬季，将菹草捞出，可以作为野菜食用。　70厘米　6～9月

苦草 生长在池塘或江中的多年生草本植物。花梗像面条一样卷曲，因此也被称为“面条草”。茎和叶子沉在水中，叶子长得像丝带。夏季，成熟的雄花浮在水面开放，花粉浮于水上，雌花花梗向上生长，受粉之后，花梗会呈螺旋状卷曲，然后沉入水中结果。 30 ~ 70 厘米 ✱ 8 ~ 9 月

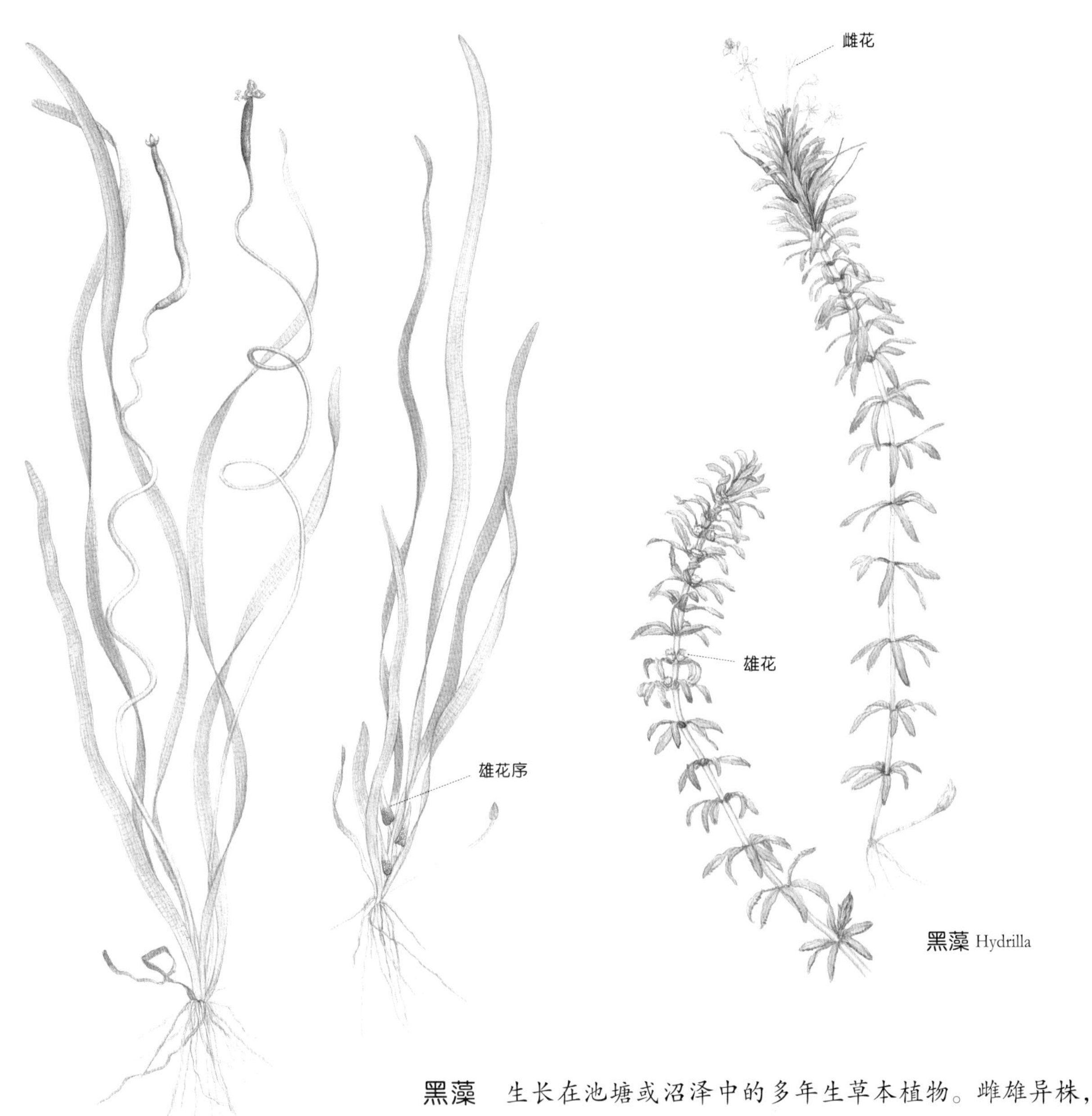

黑藻 Hydrilla

苦草 Tape Grass

黑藻 生长在池塘或沼泽中的多年生草本植物。雌雄异株，根扎在泥土之中，茎和叶子在水下生长。黑藻的每节茎上都长着 3 ~ 8 片条形叶子，盘旋在节的周围。被水波冲断的茎会沉到水底，再次扎根。夏末，在茎端会开出浅紫色的雌花。雄花从叶腋处掉落，随水流漂荡，触到雌花时，便会给其授粉。 30 ~ 60 厘米 ✱ 8 ~ 9 月

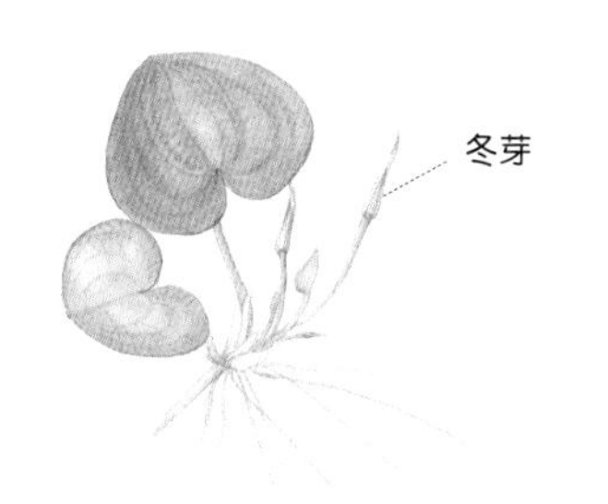

水鳖秋季长出尖尖的冬芽。

水鳖 生长在池塘或沼泽中的多年生草本植物。叶子背面有气囊，鼓鼓的像鳖的背，所以被叫作“水鳖”。叶子形状呈心形，浮在水面上。叶子明亮光滑，雨滴落在上面，会骨碌碌地滚下去。夏末，花梗伸出水面向上生长，开出雪白的花朵。冬季，茎和叶子都会消失，只有冬芽沉入水中，等待来年春天发芽。 ✱8 ~ 10月

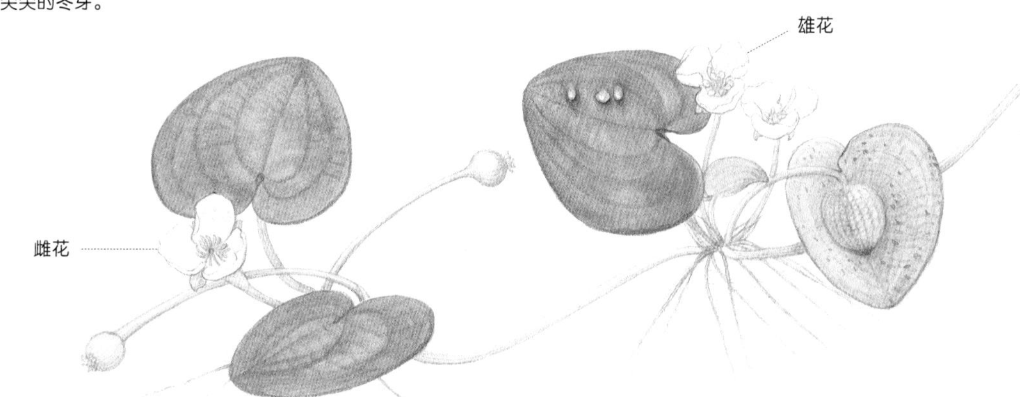

水鳖 Frogbit

水车前
Waterplantain Ottelia

水车前 生长在水田或水沟里的一年生草本植物。无茎，花梗从基部向上生长。叶子酷似车前的叶子，沉在水中。夏季，花梗顶端会开出一朵粉紫色的花朵。花伸出水面，可以绽放一整天。即使开放一会儿就枯萎，也可以结出种子，因为水车前的雄蕊正下方就是雌蕊，可以进行自花传粉。

✱8 ~ 9月

桂竹 在中国主要分布于黄河流域至长江以南地区的多年生草本植物，会在潮湿的地面上形成竹林。根茎向旁边蔓延生长，茎节处长出新根，然后发芽。竹子的芽被称为“竹笋”。初夏，竹笋向上生长，只需要1～2个月，就可以完全长大。竹子茎又直又硬，看起来很像树，但却是草本植物。和树不同，竹子没有年轮，茎部中空，叶子像刀一样狭长，一生只开一次花。 3～5米

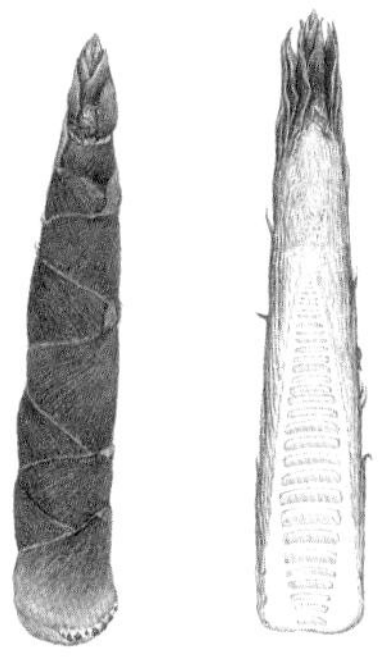

竹笋的节数，与完全长大后竹子的节数相同。

桂竹

Japanese Timber Bamboo

桂竹的根茎互相缠绕，长出了宽阔的竹林，不断向外扩张。

高粱 种植在旱田中的一年生草本植物。春季播种，秋季收获。与玉米相比，高粱的植株更高大。盛夏，茎端盛开红色的花穗。到抽穗的时节，茎部也会变红。果实成熟后，随着外皮裂开，会露出红色的种子，这就是高粱米，可以用来做五谷饭和年糕。 1.5 ~ 3米 8月 9 ~ 10月

高粱 Sorghum

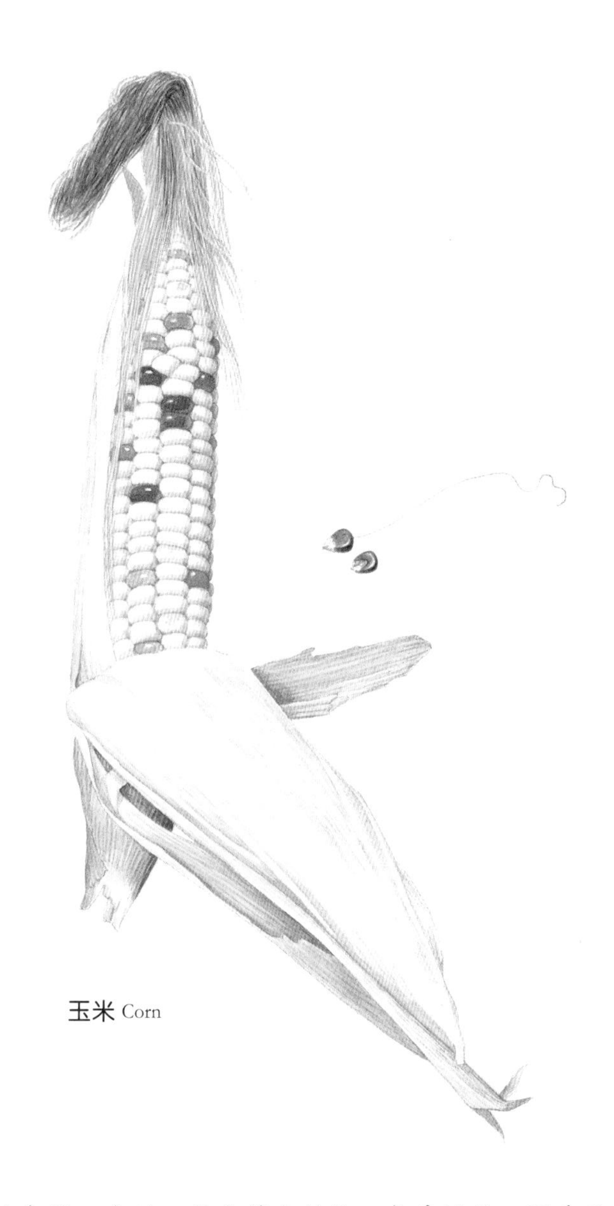

玉米 Corn

玉米 种植在旱田中的一年生草本植物。春季播种，夏季就可以折下玉米棒食用。雄花花穗挂于茎端，雌花花穗挂于茎部中间的叶腋处。玉米须是玉米雌蕊的花柱，一根玉米须上结一粒果实。玉米根虽然扎得不深，但是因为有坚硬的支柱根，所以并不容易倒。玉米的故乡在中美洲，在明朝时被引入中国。 1.5 ~ 2.5米 7 ~ 8月 8 ~ 9月

狼尾草 生长在向阳旱田田埂或路边的多年生草本植物，也被称为“路边草”。夏末，茎端会挂着奶瓶刷一样毛茸茸的花穗。样子虽然与狗尾草很像，但是狼尾草的花穗更大，穗芒更长。果实成熟后，很容易粘在路过的人的衣服上。

30 ~ 80厘米 8月 9月

狼尾草

Chinese Fountaingrass

金色狗尾草 生长在向阳旱田田埂或路边的一年生草本植物。酷似狗尾草，穗芒呈金黄色。狗尾草和金色狗尾草的穗芒空隙里常常有很多蚜虫或瓢虫等小昆虫。

20 ~ 25厘米 8月 9月

狗尾草 生长在草地或路边的一年生草本植物。夏季，茎端会悬挂着狗尾巴一样毛茸茸的花穗。深秋，花穗互相触碰摩擦，果实会一颗颗掉落下来。等到果实掉光，即使茎已经干透，花穗依然会保持原来的样子。

20 ~ 70厘米 7 ~ 8月 8 ~ 9月

粟 种植在旱田中的一年生草本植物。春季播种，秋季可收获果实。夏季，茎端会悬挂像棒槌一样瘦长的花穗。秋天，果实成熟，呈金黄色。粟即使熟透，颗粒也不容易掉落。

1 ~ 1.5 米 7 ~ 8 月 9 月

马唐 生长在旱田或路边的一年生草本植物，是一种夏季生长的杂草。茎在地面匍匐生长，下部茎节着地生根，牢牢扎在土壤里，容易蔓延成片，又很难被锄掉。夏季，茎端 3 ~ 8 个长花穗像雨伞的伞骨一样撑开。

40 ~ 70 厘米 7 ~ 8 月 9 月

牛筋草 生长在旱田或路边的一年生草本植物。牛筋草的穗比马唐更厚实，茎和叶子也比马唐更坚韧。想要拔牛筋草是很困难的，硬要去拔它，它就会连带一捧土一起被拔上来。即使将牛筋草连根拔起，只要雨水充足，牛筋草也常常能重新活过来。干旱时节，即使农作物都被晒干，马唐和牛筋草也能很好地生长。 30 ~ 80 厘米 8 月 9 月

马唐的茎在地面匍匐生长。

菰（gū） 生长在池塘或沼泽中的多年生草本植物。植株高大，粗壮的根茎在泥土中蔓延，茎底端浸在水中生长。在8～9月，茎端会挂着栗色的花穗。果实比水稻的更细更长，叫“菰米”。过去，人们在粮食不充足的情况下也会吃菰米。 1～2米 8～9月 9～10月

稗 Wild Millet

长芒稗

菰 Manchurian Wildrice

稗（bài） 在水田中常见的一年生草本植物，是一种长在水稻田里的杂草。茎和叶都与水稻十分相似，所以在生长初期很难区分它们。等到水稻开始结出果实的时候，就能够明确区分了。稗比水稻更高大，穗呈紫色。在过去遇到荒年的时候，人们也会将稗脱粒，用来熬稗粥喝。路边和空地上也常常会长出很多稗。 30～90厘米 7～8月

长芒稗 生长在水田中或水边的一年生草本植物，是与稗一起长在水田中的杂草。长芒稗与稗长得很像，但是芒却比稗的长得多。果实成熟后，很容易掉落，并传播到远方。

30～100厘米 7～8月

水稻　被种植在水田中的一年生草本植物。水稻是为人们提供大米的粮食作物。早春播种、育苗后，5～6月，人们将水稻移栽到田里，整个夏天茎的下部都要浸在水中生长；盛夏，茎端抽穗；秋季，果实成熟变为黄色。成熟的果实脱去外皮，就是大米了。人类在7000年以前就开始种稻子了，现在全世界有一半的人口把米饭作为主食。

1米　7～8月　8～10月

水稻 Rice

看麦娘 Water Foxtail

看麦娘　生长在水田田埂或潮湿草地中的一年生草本植物。它靠幼芽过冬，一到春天就会迅速生长。早春，水田田埂会被看麦娘完全覆盖。因为看麦娘的花穗上露着红红的雄蕊，所以田埂看上去也是红彤彤一片。翻耕水田时，看麦娘就已经结果实了。果实会沉在水田的水中，等秋季水田干枯时，开始发芽。　20～40厘米　4～6月

麦仁

小麦 种植在旱田中的一年生草本植物，是人类食用最多的粮食作物之一。秋季播种，依靠嫩苗过冬，初夏收获。小麦与大麦相似，但麦穗却比大麦的更加细长，麦芒看起来也并不锋利。 1米 5月 6月

小麦 Wheat

大麦 Barley

大麦的果实

大麦米

大麦 种植在旱田中的一年生草本植物，通常被用来酿酒或是作为粗粮食用。秋季播种，依靠嫩苗过冬，初夏收获。随着生长会不断分株，原本的一株植物会变成许多株。茎中空，叶子很长，向下耷垂。麦穗像针一样细，麦芒很硬。人类在10000年前开始种植大麦，中国大约在3500年前开始种植。 1米 4 ~ 5月 6 ~ 7月

芦苇 生长在沼泽或江边的多年生草本植物，在江边的沙滩上也常能见到。根茎在泥土里蔓延交错，茎节处会长出新芽，新芽向上生长，就长成一株芦苇。芦苇植株高大，叶子也很长。初秋，茎端会长出褐色的花穗，微风一吹，花穗会像羽扇一样展开。穗可以做笤帚，茎可以编帘子或坐垫。

3米 8～9月

芦苇 Common Reed

荻（dí） 生长在沼泽或江边的多年生草本植物。与芦苇很像，不同之处在于荻的穗长得非常整齐，长有白色的细毛，中间的叶脉呈白色。 1～2米 8～9月

荆三棱 生长在池塘或沼泽中的多年生草本植物。粗壮的根茎向周围延伸生长。茎呈三棱形，茎端分枝，聚集长出栗色的花穗。根茎每节都结有圆圆的块茎，块茎很受大雁、野鸭等冬季候鸟的喜爱，也可被人类食用。

80 ~ 150 厘米 7 ~ 10 月

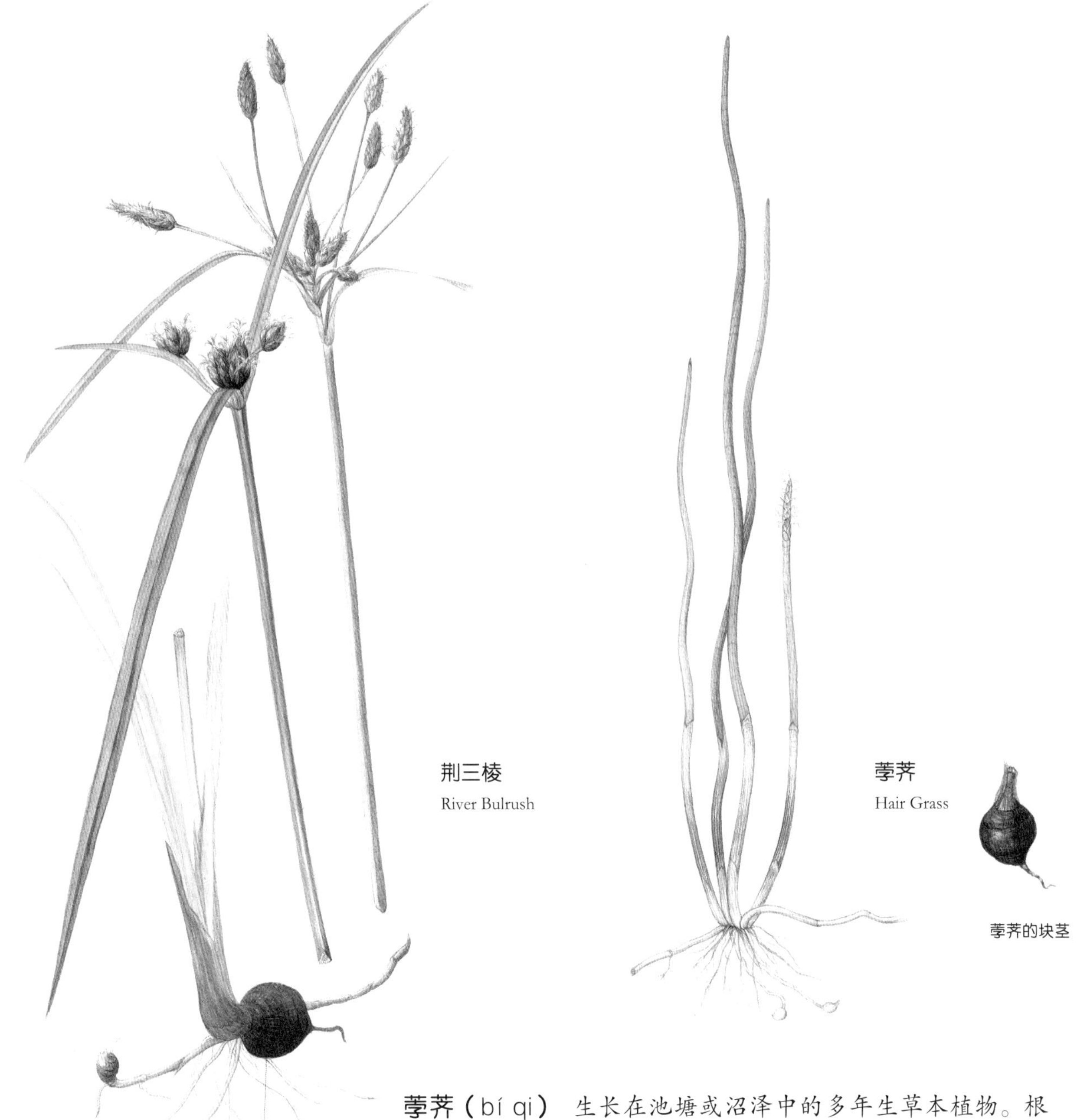

荸荠（bí qi） 生长在池塘或沼泽中的多年生草本植物。根茎向周围蔓延生长，底端长着块茎。叶片退化，茎中空，像一个个小圆柱一样向上生长。从夏季到秋季，茎端都会开出黄色的花。将块茎研磨成粉，可以用来做凉粉。

50 ~ 90 厘米 7 ~ 10 月

具芒碎米莎草　生长在水田田埂或草地中的一年生草本植物。也叫“回头香”“黄鳞莎草”。植株不高，茎呈三棱形，表面光滑，叶从茎的底部长出，会向外伸展。具芒碎米莎草是一种很常见的野草，扎根不深，很容易被拔除。

20 ~ 60厘米　7 ~ 9月

异型莎草　生长在水田田埂或潮湿水边的一年生草本植物。也叫“叉草”。茎粗，叶子比茎短。夏季到秋季开花。茎端悬挂着小小的深绿色的花穗，密密地聚集在一起，看上去像一个个圆球。　25 ~ 60厘米　8 ~ 10月

具芒碎米莎草
Asian Flatsedge

异型莎草
Variable Flatsedge

纸莎草 Papyrus

纸莎草　原生于地中海沿岸浅水中的多年生草本植物，在中国南方地区或植物园温室中也有种植。植株高大，茎挺拔，呈三棱形。古埃及人利用尼罗河岸边的纸莎草制作纸张。

2 ~ 4米

芋 种植在旱田中的多年生草本植物。依靠块茎过冬，第二年形成新的植株。春季播种，夏季可以采摘叶柄食用，秋季则可以将芋的块茎挖出来了。叶柄肥肥的，像海绵一样软，顶端长着盘子一样大小的叶子。叶子无毛，非常光滑，雨点落在上面，就会骨碌碌滚下去。将茎折断，会流出栗色的液体。芋的叶柄叫作“芋梗”，块茎叫作“芋头”。芋头放在水中泡一下，吃起来口感麻麻的。 1米 8～9月

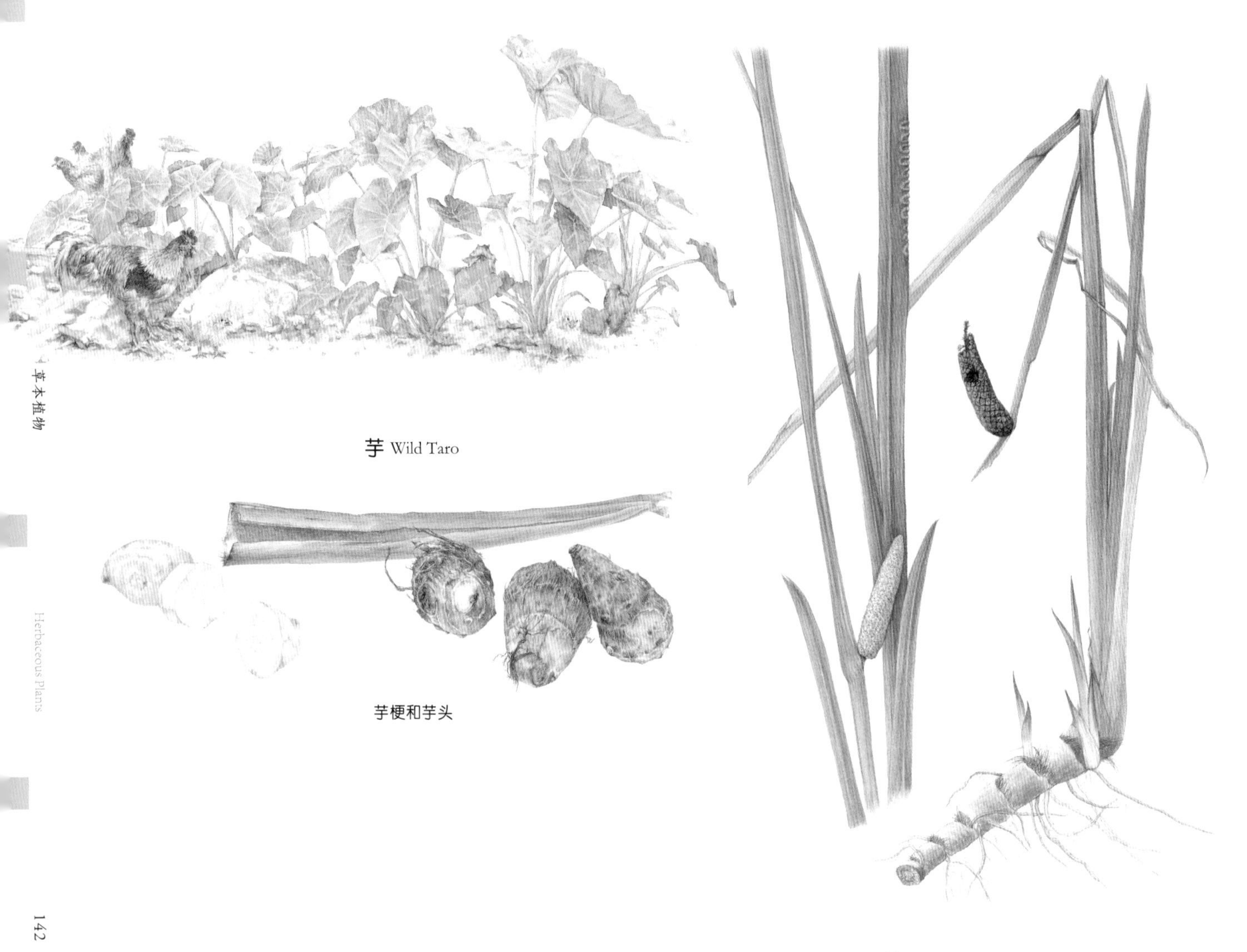

芋 Wild Taro

芋梗和芋头

菖蒲 Sweet Flag

菖蒲 生长在池塘或沼泽边的多年生草本植物。粗粗的根茎向周围蔓延生长。叶子像剑一样又长又挺拔，中间的叶脉隆起。初夏，花莛上长出像香肠一样的花穗。根茎和叶子散发清香的气味。在端午节时，人们会将菖蒲挂在门上，用于驱邪。

40～90厘米 5～6月 7月

紫萍　漂浮生长在水田或池塘中的多年生草本植物。紫萍生长的地方往往有许多青蛙。紫萍覆盖在水面上，仿佛是铺了一层绿色的地毯。一片指甲大小的叶子背面会长 5 ~ 11 缕像线一样细的根。冬季，看起来像是叶子的冬芽沉入水中，第二年春天浮出水面开始生长。人们一般很难看到紫萍开花。

✱7 ~ 9月

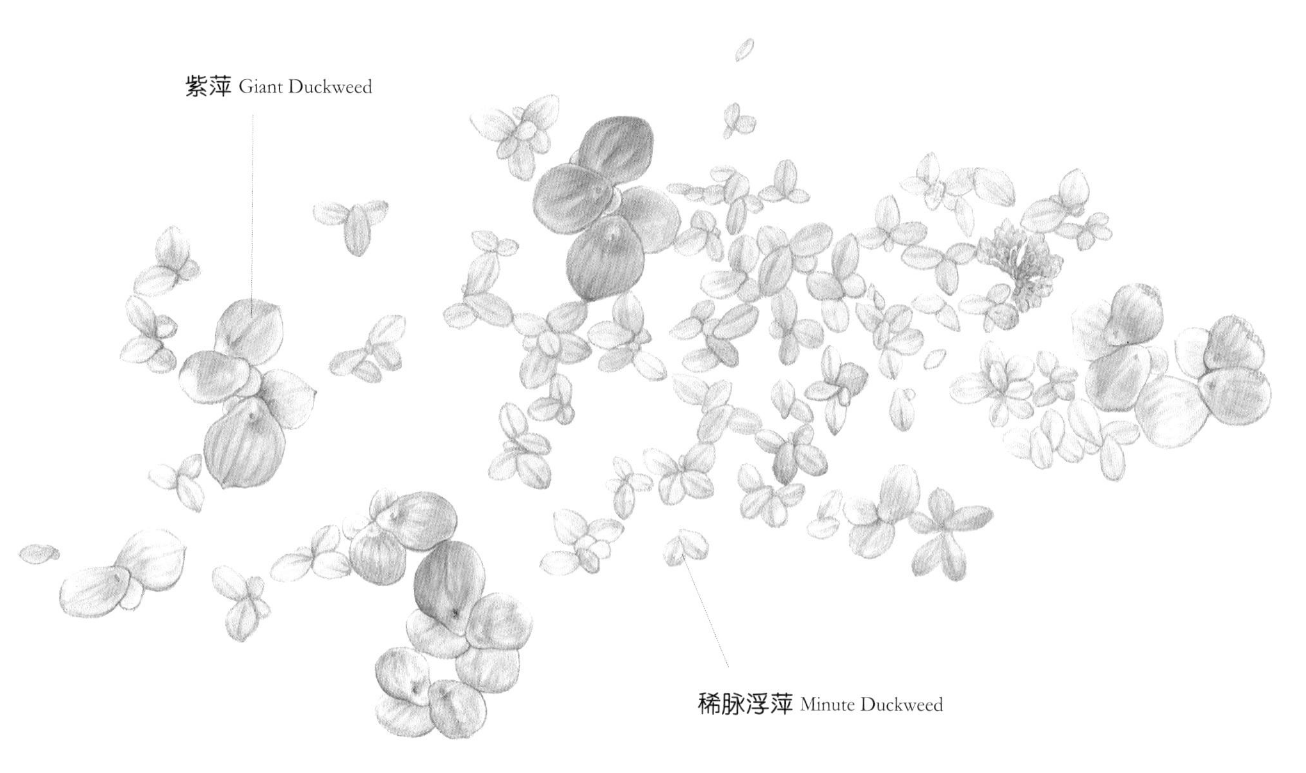

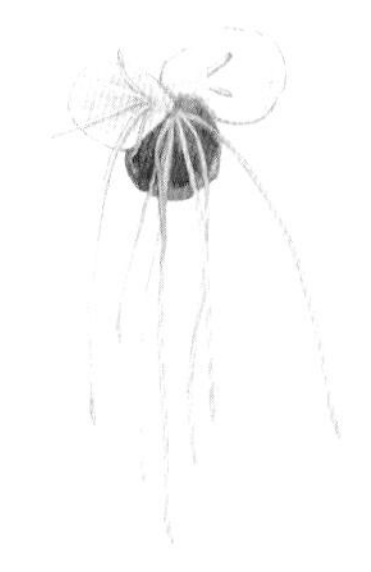

紫萍有很多根，叶子背面呈紫色。

稀脉浮萍只有一缕根，叶子背面呈绿色。

稀脉浮萍　漂浮生长在水田或池塘中的多年生草本植物。叶子比紫萍叶小，略长，背面长有一缕根。紫萍叶子背面呈紫色，稀脉浮萍背面呈绿色。　✱7 ~ 9月

疣(yóu)草 生长在潮湿水田田埂或池塘边的一年生草本植物。将其捣碎放在长有疣的皮肤上面，疣容易掉落，所以便被人们称为“疣草”。茎在地面匍匐生长，茎节处会长出新根。长出的新枝向上生长，枝梢挺拔。夏末，每个叶腋都会开出一朵浅粉色的花。疣草的茎叶与鸭跖草的很像，所以有时也被称为“小鸭跖草”。 10 ~ 30厘米 8 ~ 9月

紫露草 Spiderwort

紫露草的花朵早上盛开，下午就卷缩进花萼里。

疣草
Marsh Dayflower

紫露草 种植在花田中的多年生草本植物，原产于北美洲。外表与鸭跖草十分相像，但颜色更深一些。从晚春到盛夏，茎端都会开出紫色的花朵。花朵在清晨开花，下午就会卷缩起来。卷缩起来的花会一下钻进花萼里，像果实一样一个个悬挂着。初秋，果实成熟。 50厘米 5 ~ 8月 9月

鸭跖草 生长在路边或河岸的一年生草本植物，常被种植在湿地公园。因为它蓝色的花朵酷似公鸡鸡冠，所以也被称为“鸡冠菜”。茎歪歪斜斜地在地面爬行生长，每个茎节都可以长出新根。茎、叶充满水分，即使将鸭跖草拔起来放在一边，它也能保持长时间不枯萎。鸭跖草夏季开花，有三片花瓣，靠上的两片呈蓝色，靠下的一片很小且透明。

15 ~ 50厘米 ✽7月 8月

鸭跖草
Common Dayflower

灯心草 Lamp Rush

灯心草目　　灯心草科

灯心草 生长在水边的多年生草本植物。短短的根茎向周围匍匐生长，植株会不停地分株，长出像面条一样又细又长的直立茎。茎光滑，中间充实。取出中间部分，可以当油灯的灯心，所以被叫作“灯心草”。初夏，茎的中上部挂着栗色的花穗，看起来好像裂开了一样。人们有时会用灯心草来编织凉席。 50 ~ 100厘米 ✽5 ~ 6月 7月

鸭舌草 生长在水田或池塘边的一年生草本植物。叶子呈狭长的心形，肥肥的，有光泽。夏末会开出紫色的花朵，即使花朵完全开放，花瓣也不会全部展开。虽然鸭舌草是水田中的杂草，但由于它的花朵很好看，所以也有人会将它种植在鱼缸中。

10 ~ 30厘米 8月 9月

鸭舌草
Sheathed Monochoria

雨久花 Pickerelweed

剪下凤眼蓝的叶柄，蘸上染料后形成的图案。

凤眼蓝
Water Hyacinth

凤眼蓝 种植在池塘或鱼缸中的一年生或多年生草本植物。根在水中漂浮生长。叶子胖胖的，叶柄下面像气球一样鼓鼓的，里面有空气，所以可以浮在水面上，起到鱼鳔一样的作用。凤眼蓝在它的故乡——南美洲的热带地区属于多年生草本植物，但在中国北方地区的冬季无法存活。

20 ~ 30厘米 7 ~ 8月 9月

雨久花 生长在水田或池塘边的一年生草本植物。根扎在泥土之中，茎向上生长，叶子浮在水上。茎和叶柄中长有密密麻麻的孔眼，这是雨久花用来“喘气儿”的气道。叶子呈心形，胖胖的，带有光泽。夏末，花轴会一下子长得很高，开出紫色的花朵。 20 ~ 40厘米 8 ~ 9月 9 ~ 10月

山麦冬 生长在山中阴凉地方的多年生草本植物，也被人们种植在花田里。山麦冬从根部开始聚集长出细长的叶子。夏季，长长的花轴上会密密麻麻地挂着很多小紫花。秋季，黑珠子一样的果实成熟。即使在冬天，叶子也会保持绿色，果实可以长时间挂在茎秆上。根端长着圆圆的块茎。

20 ~ 50 厘米 6 ~ 8 月 10 月

玉竹 Solomon's Seal

山麦冬 Lilyturf

玉竹 生长在山中的多年生草本植物。粗壮的白色根茎向周围蔓延生长。叶子略长，长度 5 ~ 10 厘米。初夏，叶腋处一串串白色的花朵下垂开放。嫩叶可以作为野菜食用，肥肥的根茎晒干后可以用来泡茶。玉竹也可以入药。

30 ~ 60 厘米 5 ~ 7 月 9 ~ 10 月

玉簪花 种植在花田中的多年生草本植物。叶子像饭勺一样扁圆，叶脉整齐、明显。盛夏，漏斗形状的白色花朵会朝一侧开放。花朵在早上开放，正午时分花瓣卷曲、下垂，花香清幽淡雅。正是因为花苞的样子非常像簪子，所以才有了这样一个名字。 40 ~ 60厘米 7 ~ 8月 9月

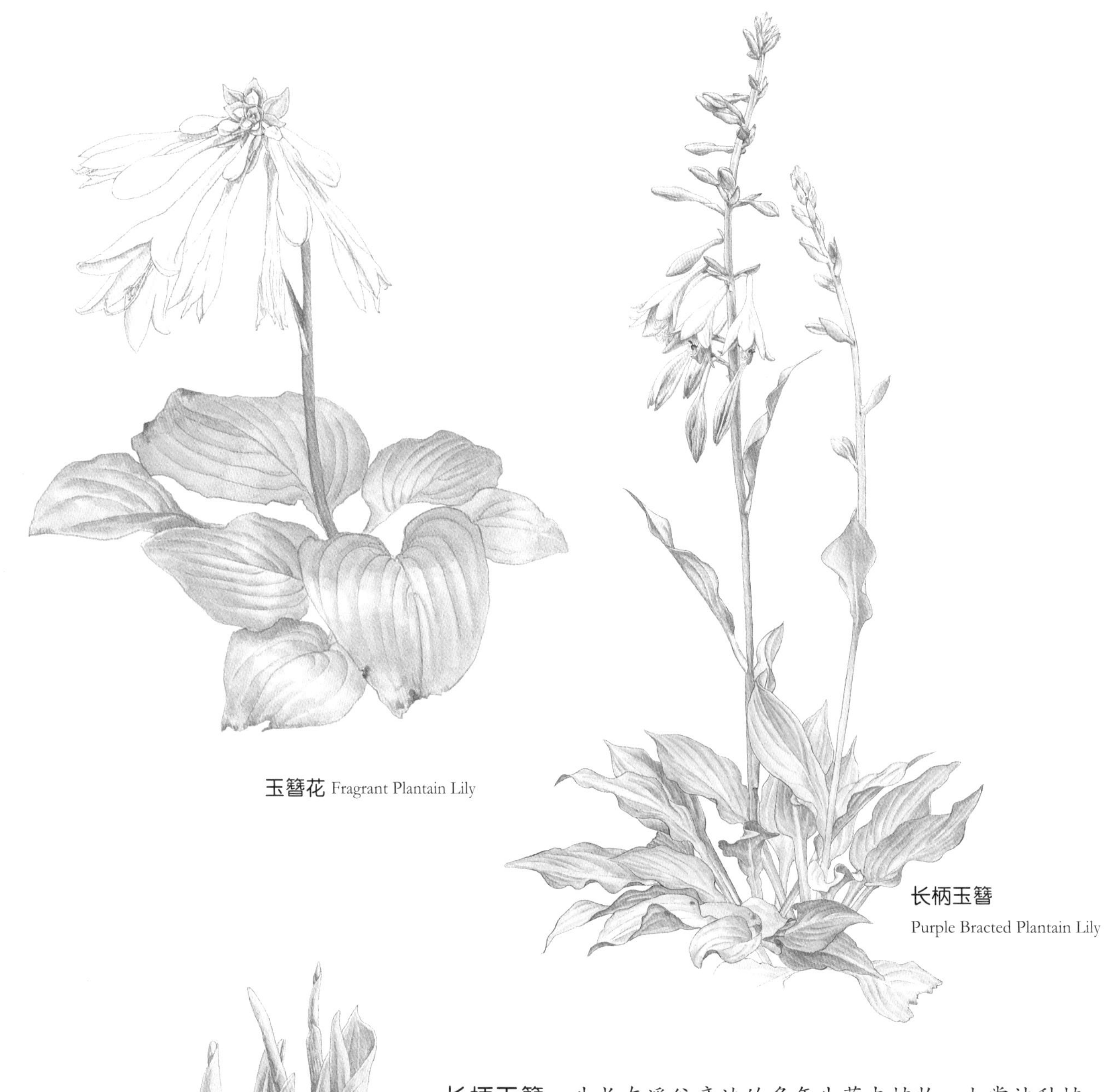

玉簪花 Fragrant Plantain Lily

长柄玉簪 Purple Bracted Plantain Lily

长柄玉簪的嫩叶扭摆着生长。

长柄玉簪 生长在溪谷旁边的多年生草本植物，也常被种植在花田里。春季，嫩叶从根部扭摆着向上生长，叶子比玉簪花稍长，可以作为野菜食用。夏季，漏斗形的紫色花朵在长长的花轴上层层开放。花田里只要种几株长柄玉簪，它便会自己蔓延开来。 30 ~ 40厘米 7 ~ 8月 9月

大蒜 种植在水田或旱田中的多年生草本植物。秋季时可以摘下大蒜的鳞茎种植在地里。大蒜依靠嫩苗过冬，在第二年初春就可以挖新蒜了。大蒜的叶子长而扁平。春季，向上生长的长长的花茎叫作“蒜薹”。夏季开花，但是为了使大蒜长得更壮，人们会将花茎拔掉，所以一般很难见到大蒜开花。我们平时所吃的大蒜就是它的鳞茎。 60厘米 7月

大蒜 Garlic

韭菜 Chinese Chives

葱 Welsh Onion

韭菜 种植在旱田中的多年生草本植物。春季，地底的鳞茎会生长出一丛又细又长的叶子。夏季，花茎顶端长出白色的花朵，花朵面向天空聚集绽放。韭菜只要种植一次，直到初夏可以多次采摘食用。花朵绽放的时节，韭菜变硬，口感变差。而到了秋季，又可以再次采摘食用。韭菜带有辛辣的味道。

30 ~ 40厘米 7月 8月

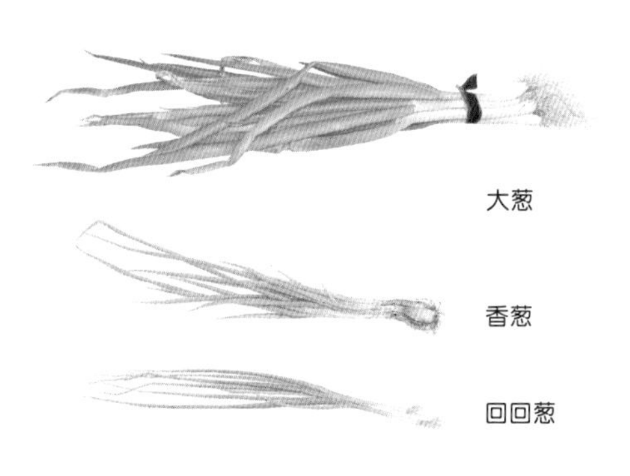

大葱

香葱

回回葱

葱 种植在旱田中的二年生草本植物。叶子很长，中空。葱叶虽然是绿色的，却好像粘上了粉一样，看起来灰扑扑的。初夏，柱状的花茎顶端成团聚集开放白色的花朵。秋季，种子成熟，呈黑色。“大葱”叶子较粗，辣味浓厚；“回回葱”叶子较细，味道较淡；“香葱”则长着像小卵石一样圆圆的鳞茎。

30 ~ 70厘米 6 ~ 7月 9月

洋葱的鳞茎

洋葱 种植在旱田中的二年生草本植物，中国各地都有种植。秋季播种，第二年插秧时节就可以挖出来了。叶子像葱一样长，中空。初秋，长长的花茎顶端成簇开放白色的花朵。花茎很长，会歪歪斜斜地倒向一边。我们平时所吃的是洋葱的鳞茎。 50 ~ 100厘米 9月

洋葱 Onion
小根蒜 Wild Garlic
郁金香 Tulip

小根蒜 生长在山间或田野中的多年生草本植物，也会被人们种植在旱田里。鳞茎像珠子一样圆圆的。早春，细长的叶子从地底的鳞茎中抽出，向上生长。此时可以将小根蒜整株挖出，作为野菜食用。春季，长长的花轴顶端会开出浅粉色花朵。

5 ~ 12厘米 4月

郁金香 种植在花田中的多年生草本植物。花朵很像土耳其人戴的帽子。郁金香依靠鳞茎过冬，早春发芽。春季，每个茎端会开出一朵花，花朵面向天空绽放，过一会儿，花就会卷缩，如此这般往复，花朵会盛开好几天。郁金香的花瓣如丝绸般光滑厚实，有着各种颜色。 4 ~ 5月

郁金香的鳞茎

卷丹的鳞茎

卷丹 生长在山脚的多年生草本植物，也被人们种植在花田中。盛夏，喇叭形状、胡萝卜颜色的花朵下垂开放。花瓣末端向后翻卷，上面密布黑红色的斑点。茎上长有蜘蛛网一样的白毛。卷丹不结果实，叶脉处圆圆的珠芽掉落后会发芽。依靠鳞茎过冬。 1～2米 7～8月

卷丹 Tiger Lily

北黄花菜 Lemon Daylily

木立芦荟 Kranz Aloe

北黄花菜 生长在向阳山脚的多年生草本植物，也被人们种植于花田中。早春，细长的叶子从根部向上生长，可摘取嫩叶作为野菜食用。初夏，长长的花轴顶端开出喇叭状的黄色花朵，花朵面向一侧生长。 1米 6～7月 8月

木立芦荟 被种植在温室或花盆中的常绿多年生草本植物。叶子长而肥厚，边缘有刺。虽然看起来像仙人掌，但并不属于仙人掌科。夏季，花茎顶端开出黄色的花朵。木立芦荟的叶子中含有黏而清亮的汁液，这种汁液常被用来制作化妆品和药品。 6～9月

石蒜科

石蒜的鳞茎

石蒜 种植在花田中的多年生草本植物，在中国的华东和华南地区均有野生种分布。因为它的鳞茎酷似大蒜，且颜色和常见的石头接近，所以被称为“石蒜”。狭长的叶子会在开花之前全部枯萎凋谢。秋天，花茎从鳞茎伸出并向上生长，开出红彤彤的花朵。花朵如红色火焰般华丽绽放。石蒜又叫作“彼岸花”“曼珠沙华”。 30 ~ 50厘米 9 ~ 10月

黄水仙 Daffodil

玉蝉花 Japanese Iris

石蒜 Red Spider Lily

黄水仙的鳞茎

黄水仙 种植在花田或花盆中的多年生草本植物。早春，黄水仙常会在冰雪融化之前盛开，所以被称为“雪中花”。它依靠鳞茎过冬，春季，花轴向上生长，开出黄色或白色的花朵。花朵看上去像是在碟子上面放上了一个小碗。叶子长而厚，末端粗。黄水仙不结果实。 20 ~ 40厘米 3 ~ 4月

鸢尾科

玉蝉花 生长在沼泽或池塘边的多年生草本植物，也常被种植在河流边。这种植物的栽培品种被称为“花菖蒲”，虽然别名中带有“菖蒲”二字，但其实却属于鸢尾科。与溪荪相似，也在夏季开出紫色的花朵，但是与溪荪不同的是，玉蝉花带有黄色的花纹。此外，与菖蒲不同，玉蝉花没有香味。

60 ~ 120厘米 6月 7 ~ 8月

黄菖蒲 种植在池塘边的多年生草本植物。这种植物可以净化水体，在水边种上黄菖蒲，水里面的臭味会大大减少。初夏，茎端密集绽放黄色的花朵，外面的三枚花被片略微下垂。叶子形状像长刀一样，末端尖细。

60 ~ 100厘米 ✱5 ~ 6月 8月

黄菖蒲 Yellow Flag

溪荪 Blood-red Iris

姜 Garden Ginger

溪荪（sūn） 生长在向阳山脚或草地中的多年生草本植物。花苞长得像蘸了颜料的毛笔。初夏，茎端会开出紫色的花朵。与玉蝉花不同的是，溪荪外面一圈的花瓣上有网纹。果实呈三棱状圆柱形，秋季成熟时，尖端会裂为三瓣，圆圆的黑色种子整齐地排列着，像是放在果实里面的硬币。

60厘米 ✱5 ~ 6月 8 ~ 9月

姜目 姜科

姜 种植在旱田中的多年生草本植物。它依靠块茎过冬，春天长出茎，叶子形似竹叶。姜在它的故乡——热带地区会开花，但是在中国北方地区种植的姜则不会开花。深秋，可以采挖姜，即它的块茎。姜的表面凹凸不平，形态各异。味道辛辣，气味清爽。 30 ~ 50厘米

单子叶植物纲 凤梨目　　凤梨科

凤梨　种植在热带地区或温室中的常绿多年生草本植物，原产于中美洲。丛生的叶子中间挂着圆圆的花穗。花穗的形状像一个巨大的松球，最后发育为果实。果实外皮凹凸不平的地方就是花朵掉落的位置。　50 ~ 120厘米

凤梨的果肉很甜很香。

凤梨 Pineapple

雌花。会长成我们所吃的香蕉。

香蕉 Banana

大花美人蕉 Canna

雄花

姜目　　芭蕉科

香蕉　种植在植物园或者温室中的常绿多年生草本植物，原产于亚洲热带地区。虽然植株像树一样高大，但它却是草本植物。叶子从茎顶端像喷泉的水柱一样向四方伸展。夏季开花，结果实的花朵层层地悬挂着。果实狭长，成熟后呈黄色。果肉呈乳白色，松软，味道很香。香蕉是继葡萄之后，全世界食用第二多的水果。　3 ~ 10米　7 ~ 8月

美人蕉科

大花美人蕉　种植在花田中的多年生草本植物。春季，切下根茎种植在土中，夏季便会开花。植株高大，叶子像香蕉叶一样肥大。从初夏到初秋，茎端会盛开花朵。大花美人蕉的花有多种颜色，其中红色的最为常见。根茎和芋很像，霜降的时候，要把根茎挖出来存放到屋子里。

1 ~ 2米　7 ~ 9月　10月

苔藓植物和蕨类植物

苔藓植物门　金发藓纲　金发藓科

金发藓　生长在深山潮湿地面的多年生苔藓类植物。成群生长，根、茎、叶的区分并不十分明显。植株直立生长，上面密密麻麻地长着像松针一样细的叶状物。雌雄异株，雌株顶端长有椭圆形的孢子囊。看起来像根的部位其实无法吸收水和养分，是贴地生长的假根。 5 ~ 20 厘米

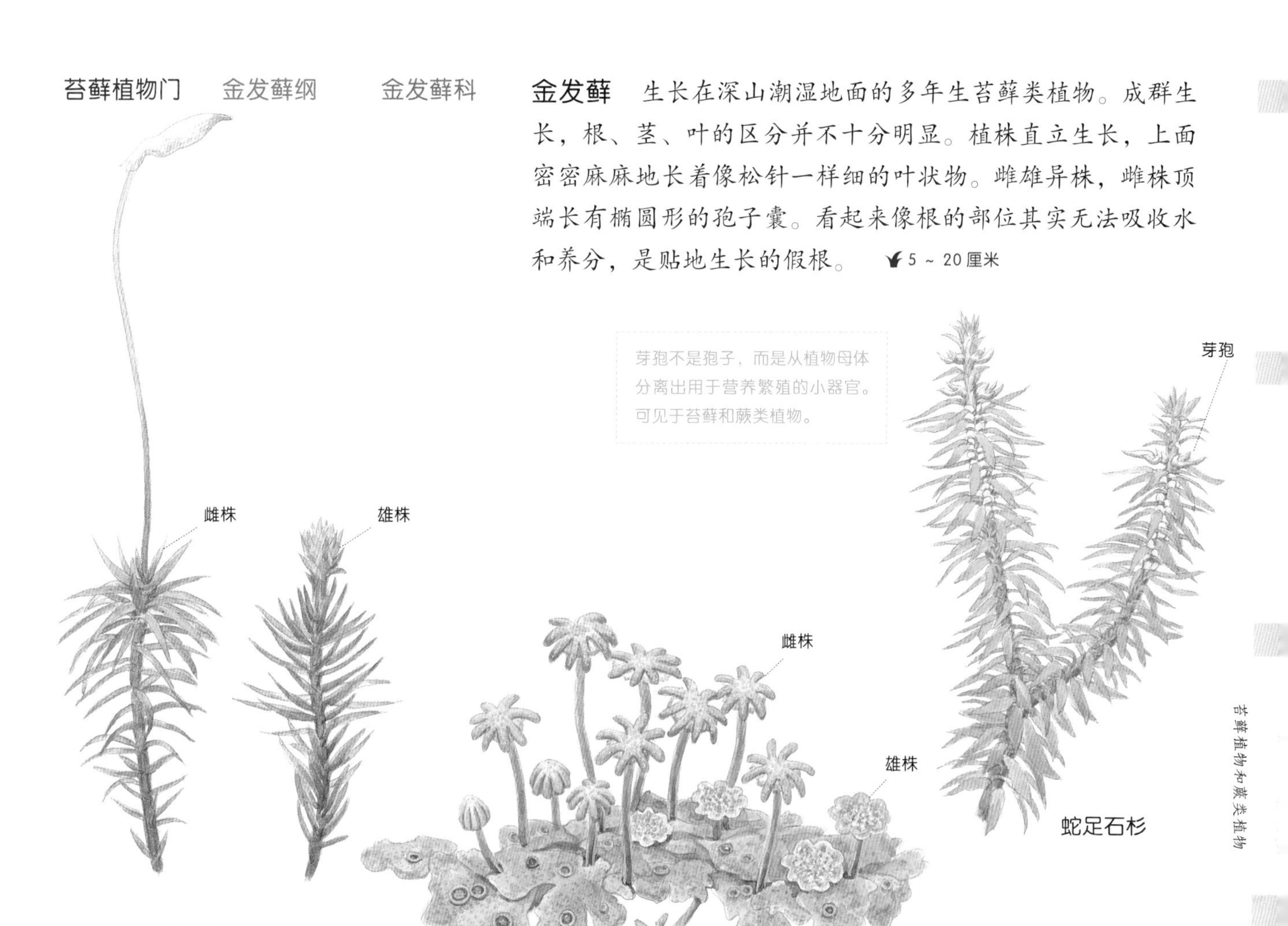

金发藓 Hair Moss

地钱 Liverwort

*孢子是脱离母体后能发育成新个体的生殖细胞，苔藓植物和蕨类植物通过孢子进行繁殖。

地钱纲　地钱科

地钱　生长在潮湿、阴暗地方的多年生苔藓类植物。根、茎、叶不作区分，整个植株就好像是一片叶子。根是假根，水和养分由整个植株吸收。雌雄异株，雄株像一柄伞面被翻转的雨伞，雌株则像一副伞骨。雌株下面的孢子囊里会产生孢子*，之后孢子会散播出去。 2 ~ 3 厘米

蕨菜植物门　石松纲　石松科

蛇足石杉　生长在森林深处阴暗地方的多年生蕨类植物，常能在堆满落叶的大树下或者阴暗处的石头下见到。即使在冬天，叶子也呈绿色。尖尖的叶子沿着茎向上生长，好像一座小塔。叶子边缘呈锯齿状，叶腋聚集着很多圆黄色的孢子囊。孢子会从孢子囊中散播出去。生长在茎顶端的芽孢掉落后也会萌发新植株。 7 ~ 25 厘米

蕨菜植物门 石松纲 卷柏科

卷柏 贴附生长在山中石头上的多年生蕨类植物。浓绿的枝向四方分杈伸展，背面呈灰白色。降水稀少的时候，卷柏会像握起的拳头一样卷缩起来。枝卷缩后再展开的样子，很像握起又张开的手。秋天，枝变成红色，像被染红的枫叶。冬天，卷柏卷缩起来，但是一到春天，它就又会恢复绿葱葱的样子。 20厘米

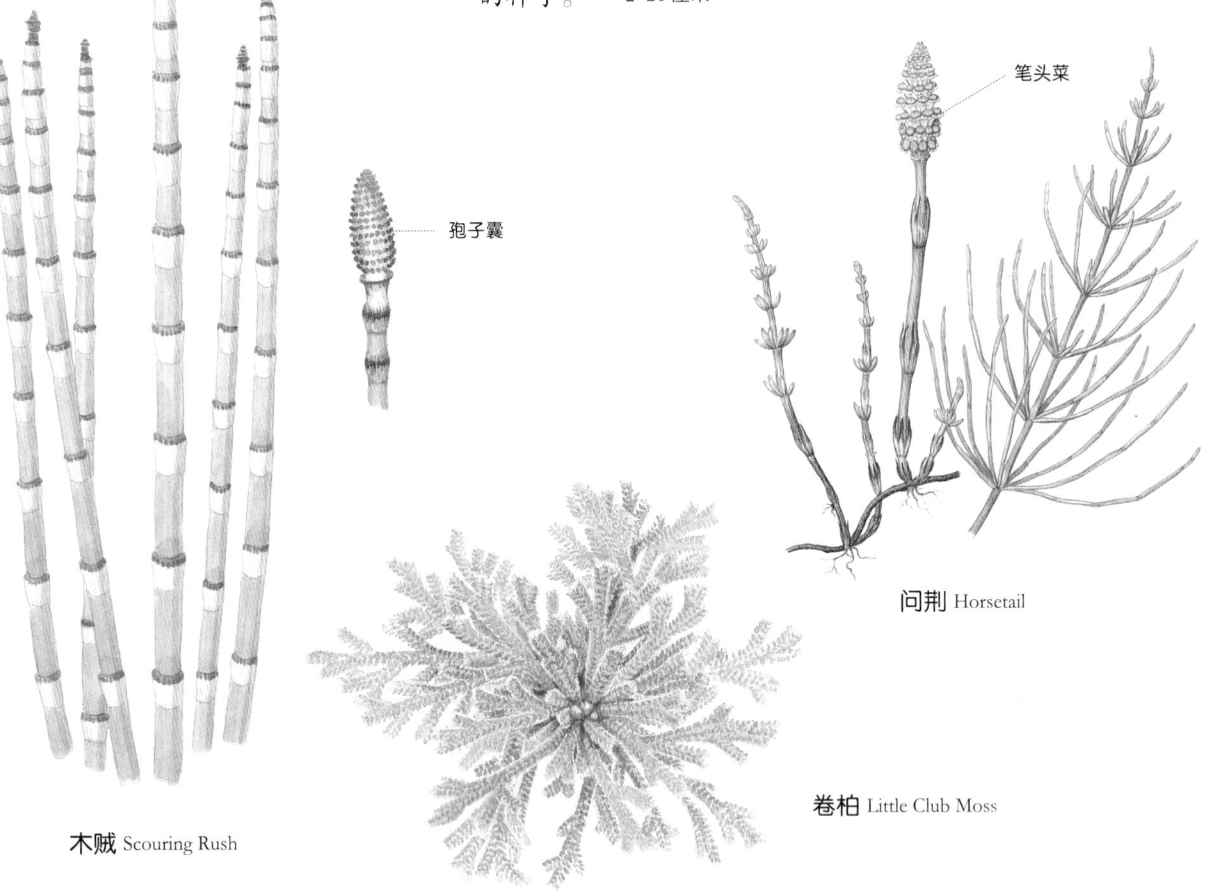

木贼 Scouring Rush

卷柏 Little Club Moss

问荆 Horsetail

木贼纲 木贼科

问荆 生长在向阳草地上的多年生蕨类植物。根茎蔓延生长。早春，根茎上长出黄色的生殖枝并向上生长，这个生殖枝叫作“笔头菜”。生殖枝顶端长有孢子囊，里面的孢子会向外散播，进而繁殖。生殖枝枯萎的时候，会长出深绿色的营养茎。营养茎长得像松针，并通过光合作用制造养分。问荆是牛很喜欢吃的食物。 20 ~ 40厘米

木贼 生长在深山湿地中的多年生蕨类植物。在冬季也保持绿色。茎部有黑色的节，不分枝。叶退化成鳞片状，贴伏在茎节处。茎中空而坚固，有纵棱，粗糙。可以代替砂纸打磨木头。木贼也叫作“笔头草”“笔筒草”。 30 ~ 60厘米

蕨纲　　紫萁科

紫萁（qí）　生长在潮湿山地的多年生蕨类植物。叶子从粗壮的根茎长出并向上生长。春季，嫩叶上面长出密密麻麻的红色软毛。在生长过程中，卷起来的叶子逐渐展开，软毛消失。嫩叶可以作为野菜食用。　60 ~ 100 厘米

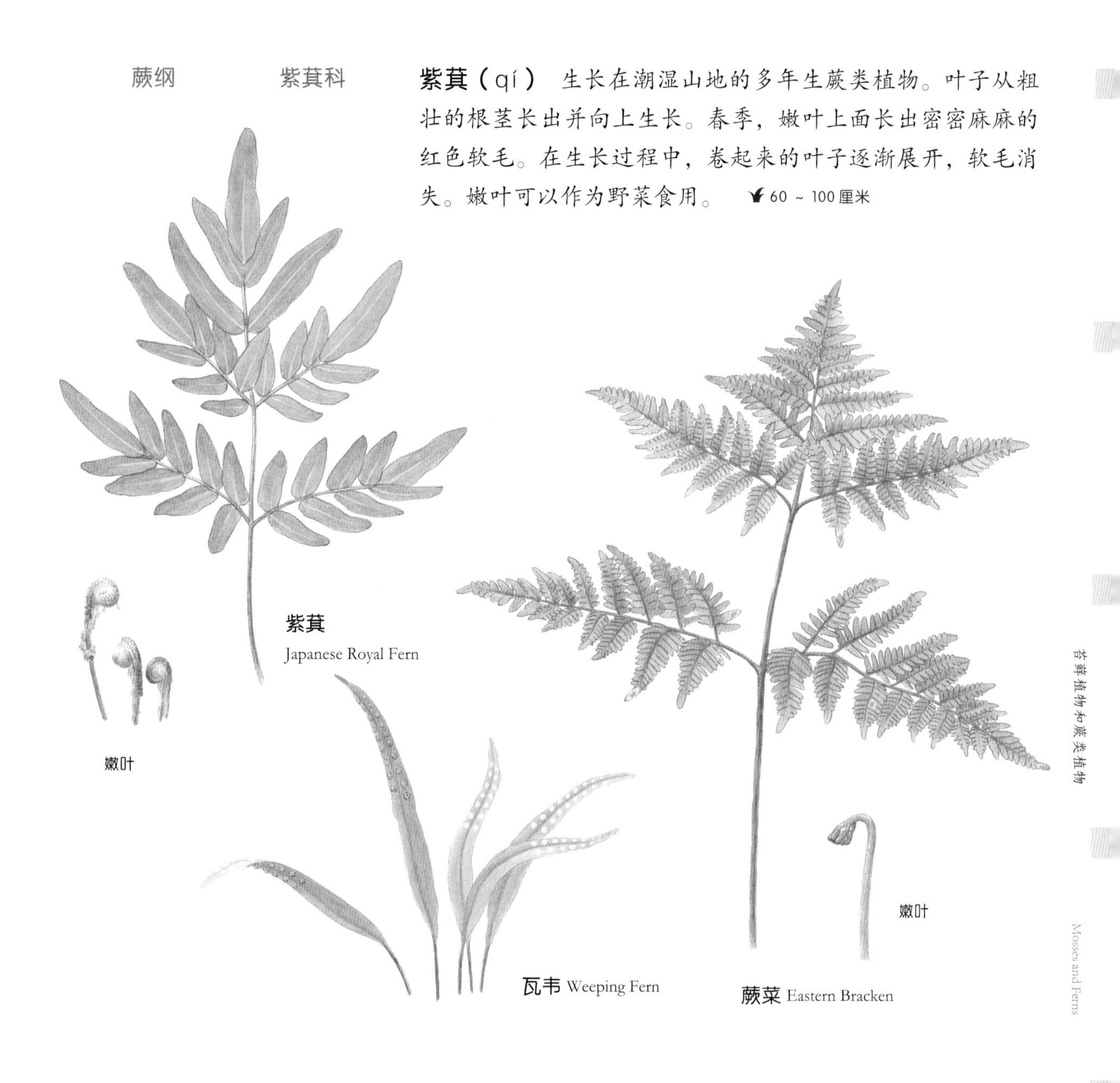

蕨科

蕨菜　生长在阳光充足的山脚地带的多年生蕨类植物。春季，叶子从向两边蔓延的根茎长出并向上生长。刚长出来的叶子向内卷曲，长有软毛，像小孩儿紧紧握住的拳头似的。在叶子展开之前将蕨菜折断，可以作为野菜食用。夏季，叶子背面的孢子会散播出去。　100 厘米

水龙骨科

瓦韦　贴附生长在山中潮湿树皮或石头上的多年生蕨类植物，偶尔也生长在陈旧的瓦屋屋顶上。在冬季也保持绿色。叶子肥厚而有光泽，像狭长的刀，远远看上去好像插在地面上一样。孢子会从叶子背面的孢子囊中散播出去。瓦韦也叫作“剑丹”“七星草”。　10 ~ 30 厘米

蘋（pín）科

田字草　生长在水田或池塘中的多年生蕨类植物。外表长得很像四片叶子的白车轴草。根茎在泥土中蔓延生长。在长长的叶柄顶端，四片叶子面向天空，直线状的边沿几乎贴在一起。通常情况下，田字草的叶柄在水中生长，只有叶子浮在水面上。如果水被放掉了，就会看到直立的叶柄。

7 ~ 20 厘米

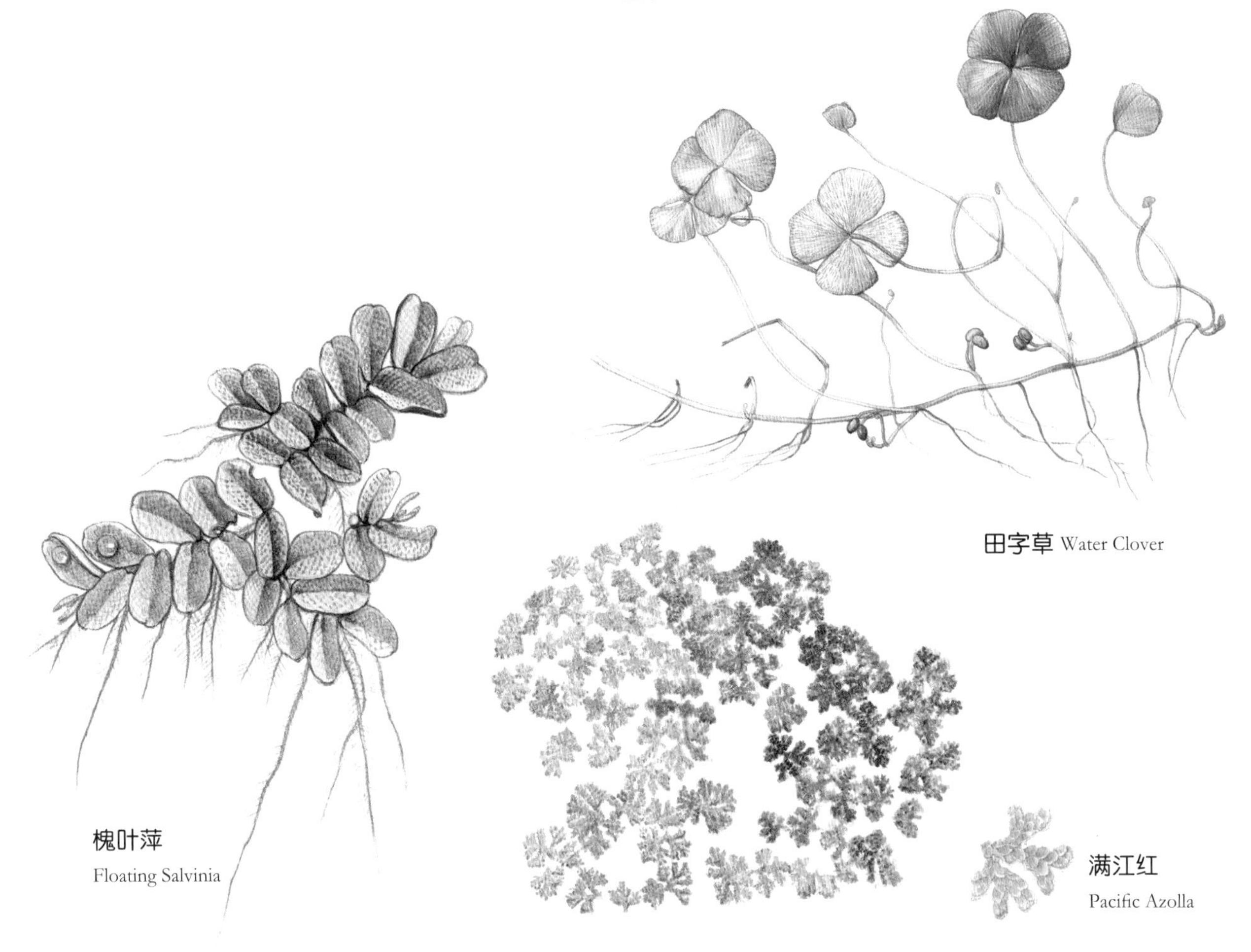

田字草 Water Clover

槐叶萍
Floating Salvinia

满江红
Pacific Azolla

槐叶蘋科

槐叶萍　漂浮生长在水田或池塘中的一年生蕨类植物。叶三片轮生，两片漂浮在水面上，剩下的一片细长如丝，在水中形成假根。漂浮在水面上的叶子背面凹凸不平，非常粗糙。秋季，叶子下方会长出圆圆的孢子囊。

槐叶萍的孢子囊挂在叶子下方。孢子整个冬天都沉在水里，在第二年初春发芽。

满江红　漂浮生长在水田或池塘中的一年生蕨类植物。鳞片一样的叶子紧紧贴附于茎上，茎在水下长出像线一样细的根。夏季，叶子背面会长出很小的孢子囊。满江红的叶子通常呈绿色，但秋季时叶色变红，像被染红的枫叶。满江红一旦开始蔓延生长，整个池塘都会被覆盖，十分壮观。

附录

按颜色查找

牡丹 30

皱皮木瓜 39

红色

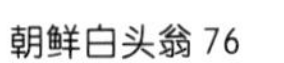

朝鲜白头翁 76

山茶 55

三色堇 97

郁金香 150

黄色

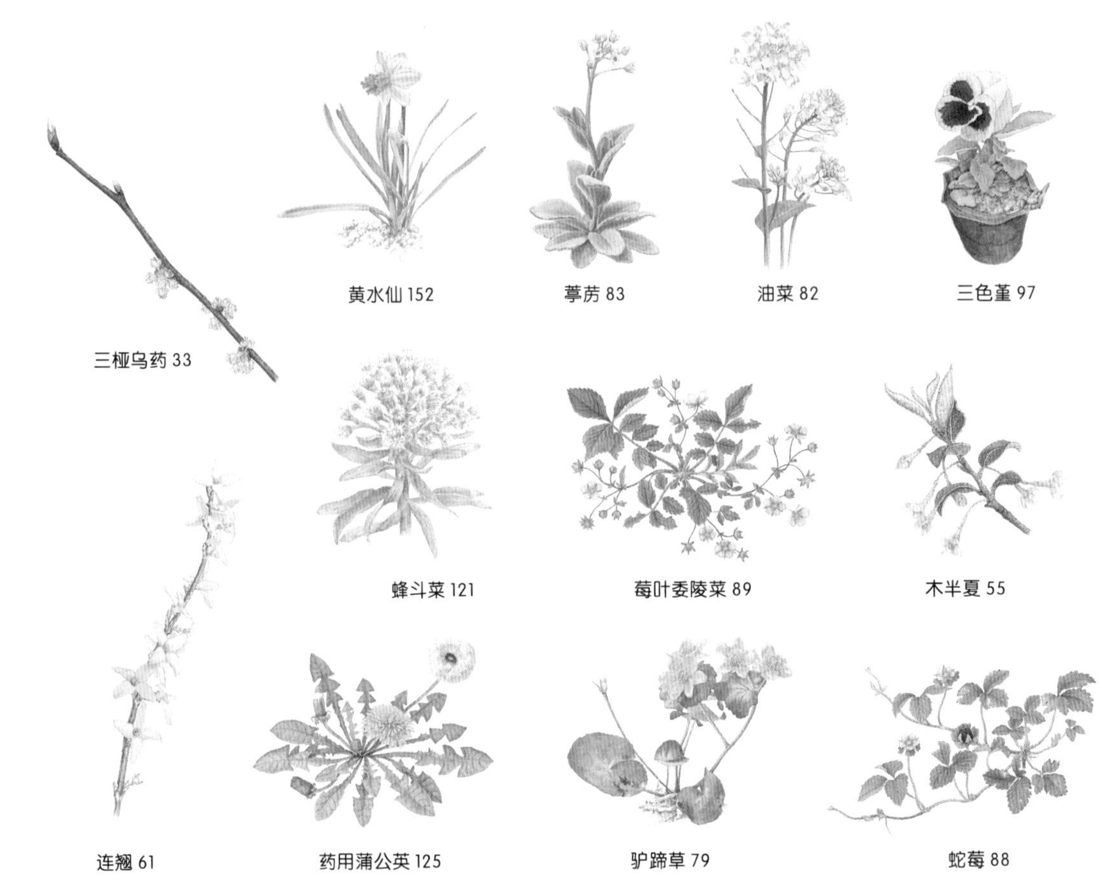

三椏乌药 33

黄水仙 152

葶苈 83

油菜 82

三色堇 97

蜂斗菜 121

莓叶委陵菜 89

木半夏 55

连翘 61

药用蒲公英 125

驴蹄草 79

蛇莓 88

粉红色

木瓜 39
紫丁香 61
东京樱花 38
桃 37
杏 37
迎红杜鹃 58
樱草 104
救荒野豌豆 90
大字杜鹃 58

紫色、紫朱、蓝色

齿瓣延胡索 81
东北堇菜 97
二乔玉兰 32
阿拉伯婆婆纳 114
疣草 144
附地菜 107
紫藤 45
紫云英 93
木通 31

白色

玉兰 32

山楂 40

刺槐 45

三色堇 97

苹果 40

沙梨 41

李 36

豌豆 90

野蔷薇 34

繁缕 73

荠菜 83

萝卜 84

笑靥花 34

毛樱桃 38

梅 36

红色

玫瑰 34　石榴 56　紫茉莉 72　翠菊 119

当代月季 35　百日菊 121　芍药 79　凤仙花 95

一串红 109　蜀葵 96　野罂粟 80　凌霄 63

卷丹 151　大花美人蕉 154　地榆 89　鸡冠花 72

紫色、蓝色

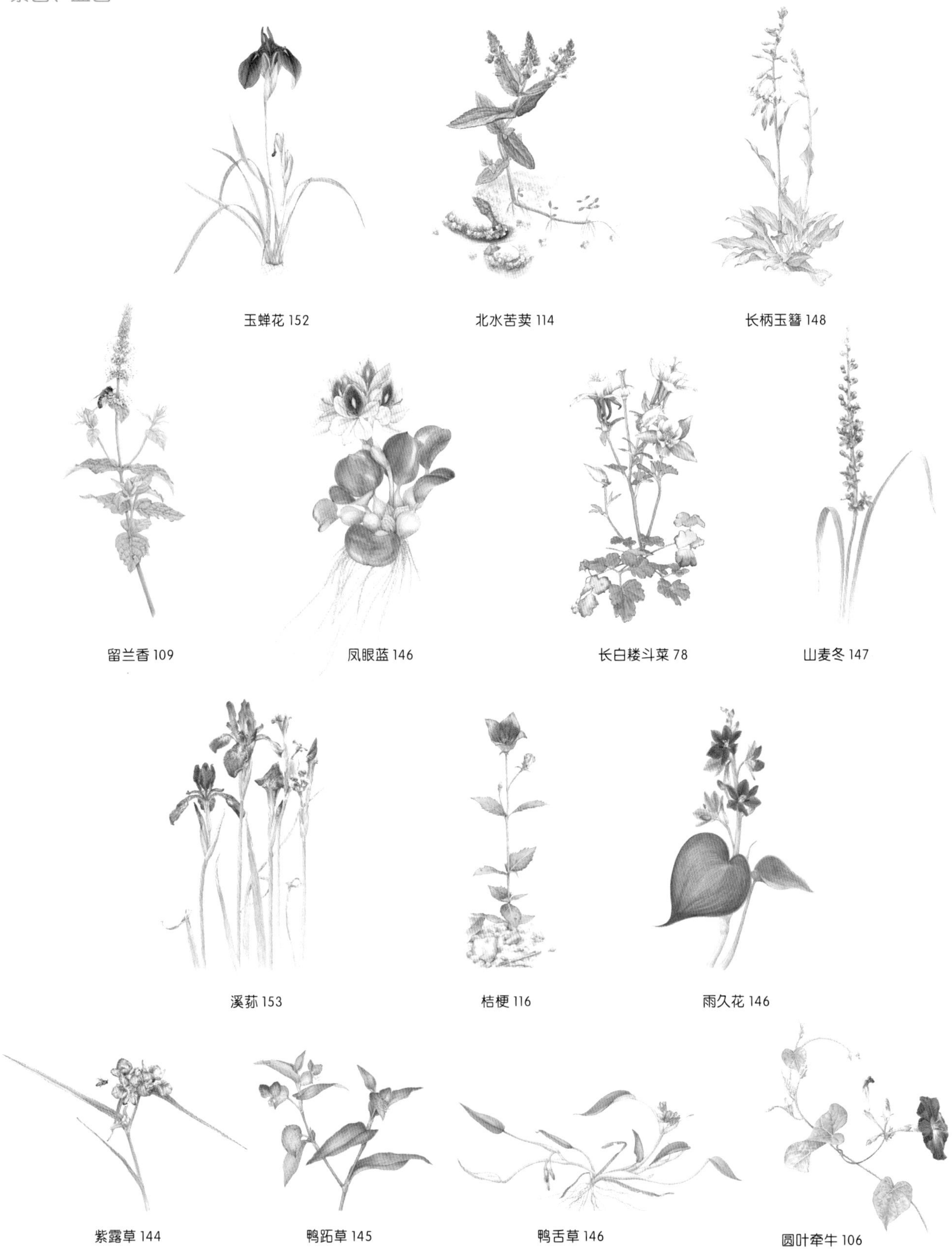
玉蝉花 152
北水苦荬 114
长柄玉簪 148
留兰香 109
凤眼蓝 146
长白楼斗菜 78
山麦冬 147
溪荪 153
桔梗 116
雨久花 146
紫露草 144
鸭跖草 145
鸭舌草 146
圆叶牵牛 106

紫朱色

胡枝子 44

葛 44

蓟 118

白棠子树 62

野大豆 92

毛泡桐 62

牛蒡 118

茄子 111

萝藦 104

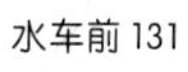

水车前 131

夏枯草 108

羊乳 116

野凤仙花 95

粉红色

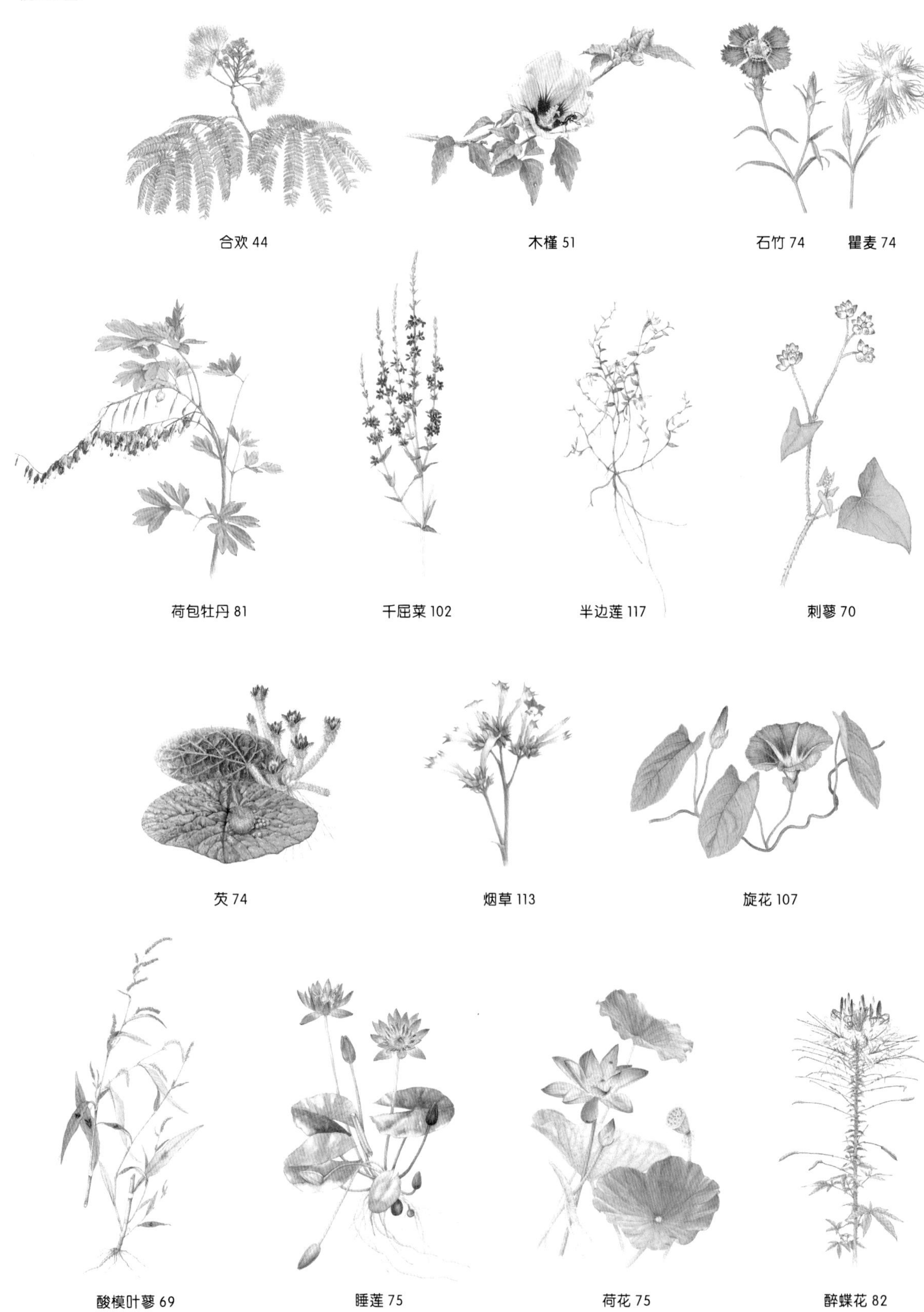

合欢 44
木槿 51
石竹 74
瞿麦 74
荷包牡丹 81
千屈菜 102
半边莲 117
刺蓼 70
芡 74
烟草 113
旋花 107
酸模叶蓼 69
睡莲 75
荷花 75
醉蝶花 82

黄色

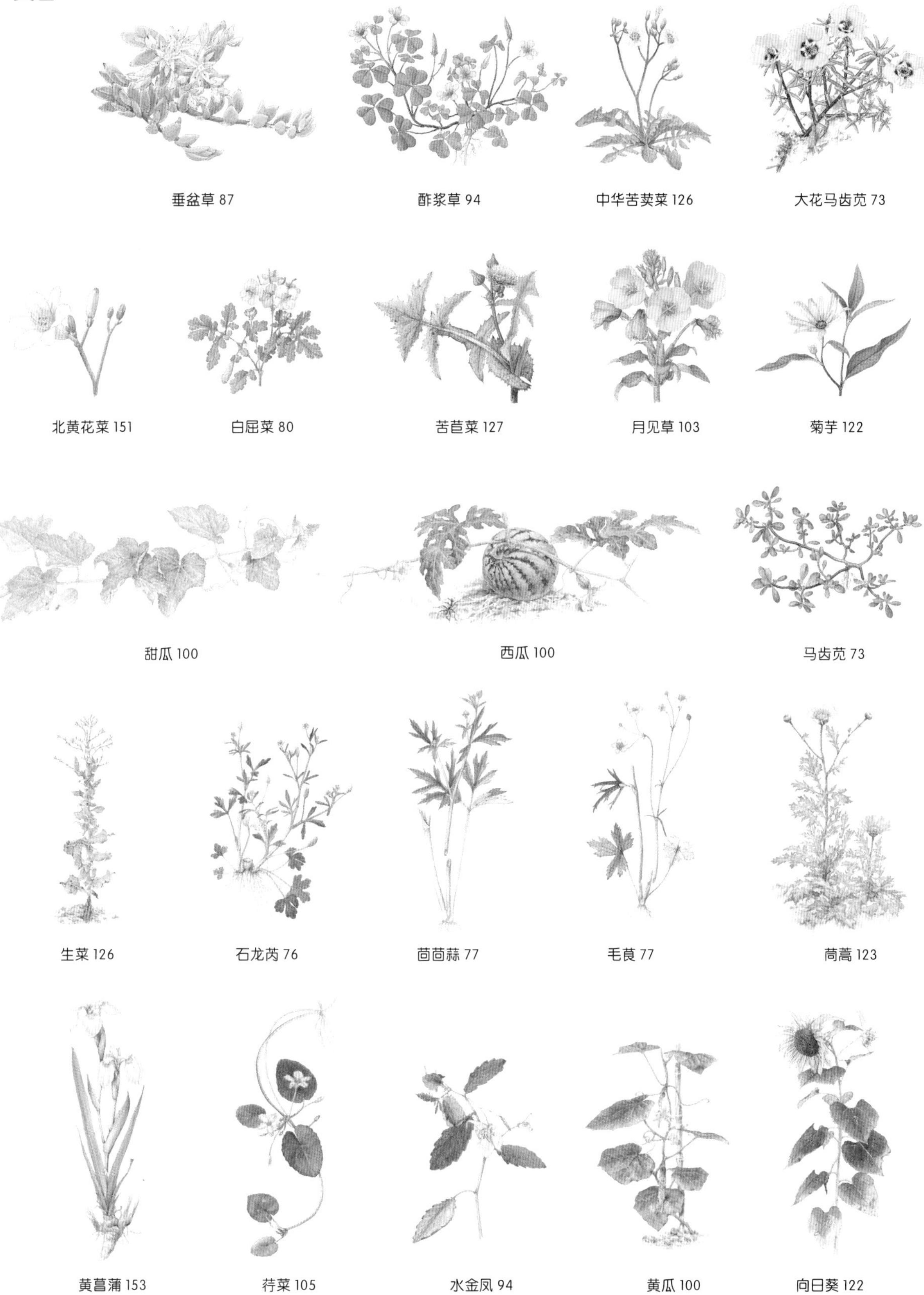

垂盆草 87　酢浆草 94　中华苦荬菜 126　大花马齿苋 73

北黄花菜 151　白屈菜 80　苦苣菜 127　月见草 103　菊芋 122

甜瓜 100　西瓜 100　马齿苋 73

生菜 126　石龙芮 76　茴茴蒜 77　毛茛 77　茼蒿 123

黄菖蒲 153　荇菜 105　水金凤 94　黄瓜 100　向日葵 122

白色

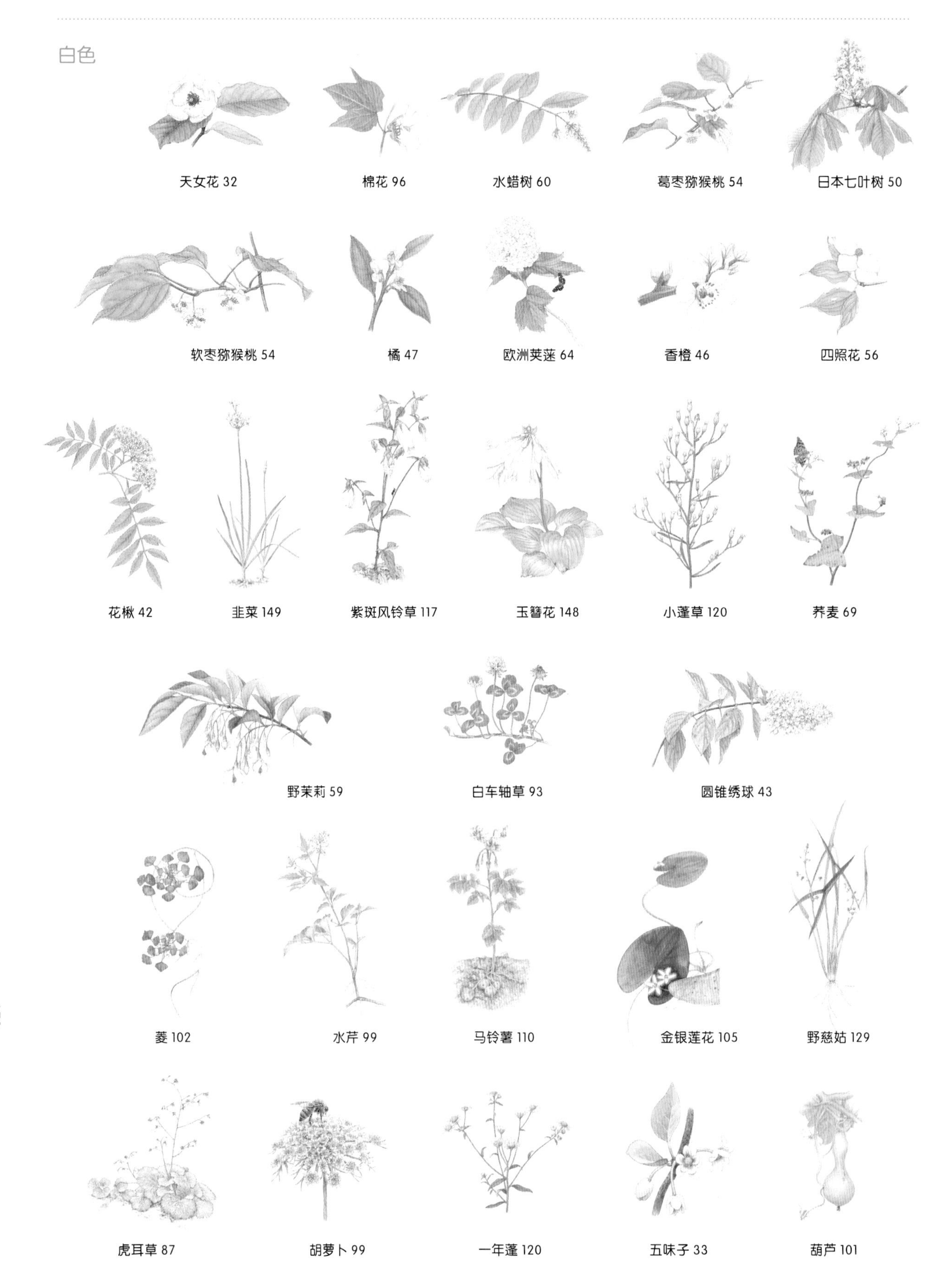

天女花 32
棉花 96
水蜡树 60
葛枣猕猴桃 54
日本七叶树 50
软枣猕猴桃 54
橘 47
欧洲荚蒾 64
香橙 46
四照花 56
花楸 42
韭菜 149
紫斑风铃草 117
玉簪花 148
小蓬草 120
荞麦 69
野茉莉 59
白车轴草 93
圆锥绣球 43
菱 102
水芹 99
马铃薯 110
金银莲花 105
野慈姑 129
虎耳草 87
胡萝卜 99
一年蓬 120
五味子 33
葫芦 101

红色

石蒜 152

紫色、紫朱、蓝色

秋英 123　山马兰 119　菊花 124

黄色

菊花 124　野菊 124　翅果菊 127

白色

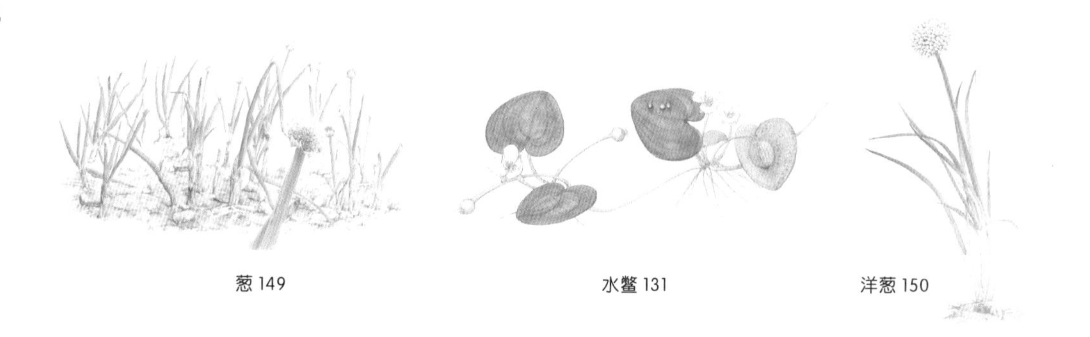

葱 149　水鳖 131　洋葱 150

花的结果过程

石竹

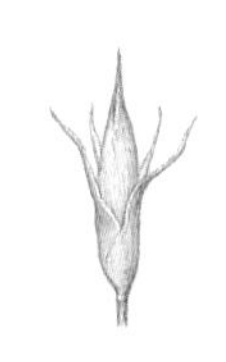
长出花苞

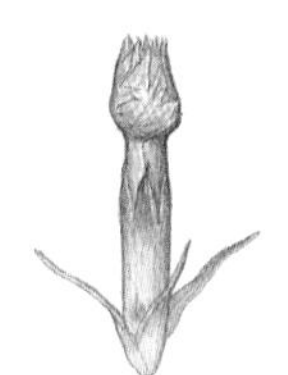
花苞绽开

开花

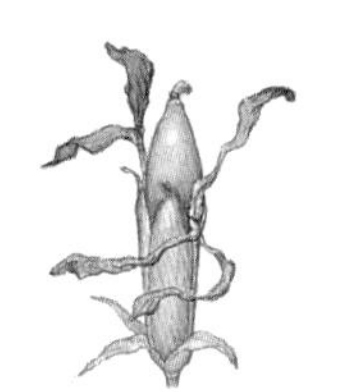
花谢

结果

果实成熟
向后打开

朝鲜白头翁

花谢后花
冠挺立

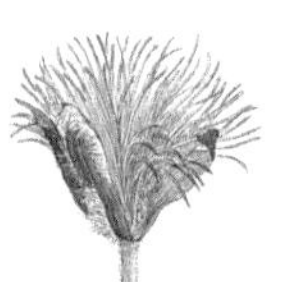
长出花柱

花柱伸长

变轻变白

果实随风飘散

野罂粟

长出花骨朵

逐渐成熟

开花

花谢

果实成熟

种子随风飘散

蛇莓

花瓣枯萎

中间的花托变大

结果

果实成熟

果实脱离果蒂

东北堇菜

花谢

向上结果

果实成熟，向
三个方向裂开

果皮萎缩，
露出种子

约两小时后种子
完全脱落

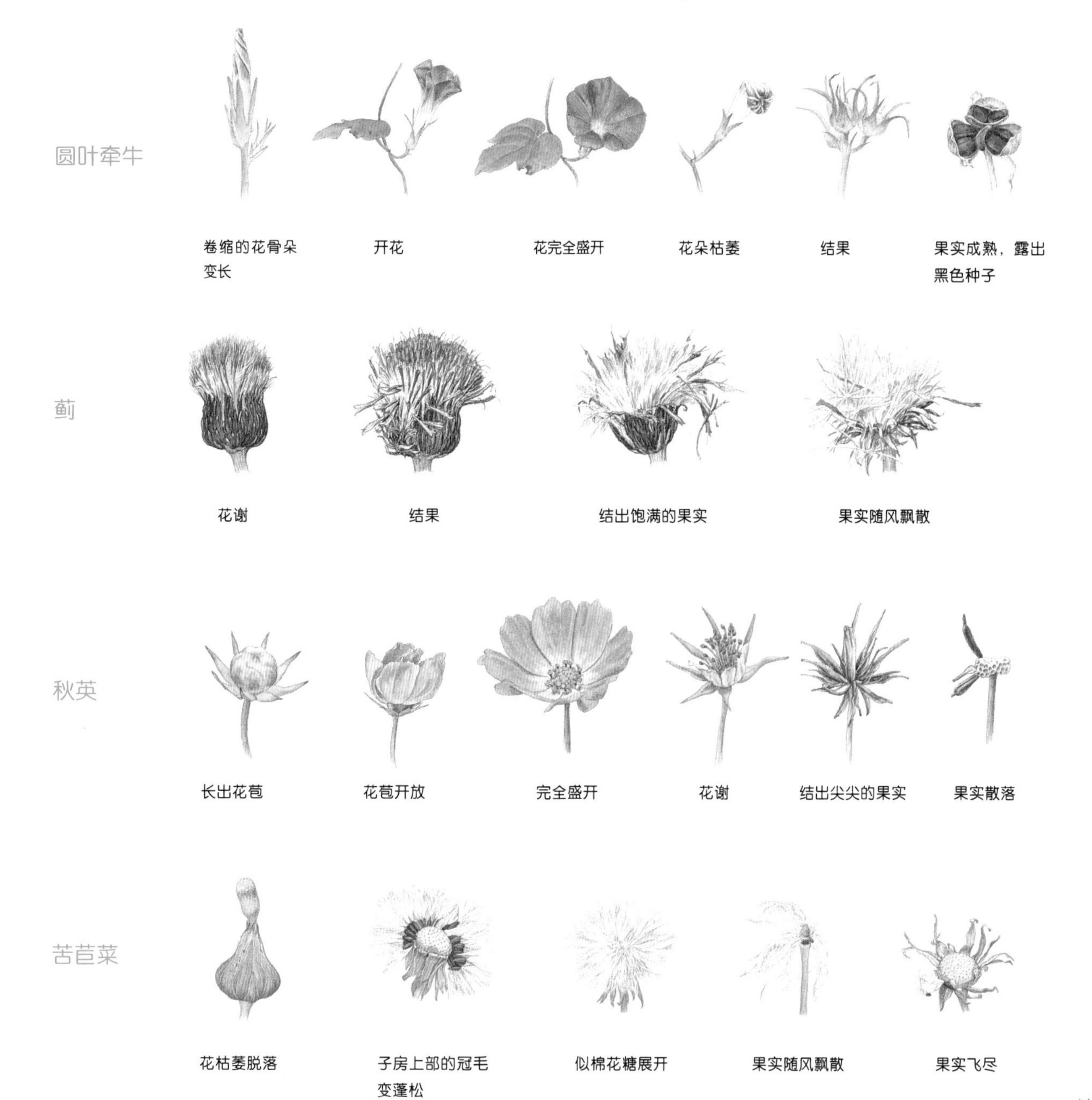
圆叶牵牛
卷缩的花骨朵变长
开花
花完全盛开
花朵枯萎
结果
果实成熟，露出黑色种子
蓟
花谢
结果
结出饱满的果实
果实随风飘散
秋英
长出花苞
花苞开放
完全盛开
花谢
结出尖尖的果实
果实散落
苦苣菜
花枯萎脱落
子房上部的冠毛变蓬松
似棉花糖展开
果实随风飘散
果实飞尽

树形——树的全貌

针叶树

指叶子细长如针的树。通常在冬季不落叶，多为常绿树。水杉和日本落叶松虽同是针叶树，但却落叶。

东北红豆杉 10~20 米　　赤松 35 米　　水杉 35~50 米　　红松 20~30 米

小乔木

指成年树木的树干不超过 10 米的小型乔木。像荆条和迎红杜鹃等无明显主干、分枝极多的一类树木被称为“灌木”。

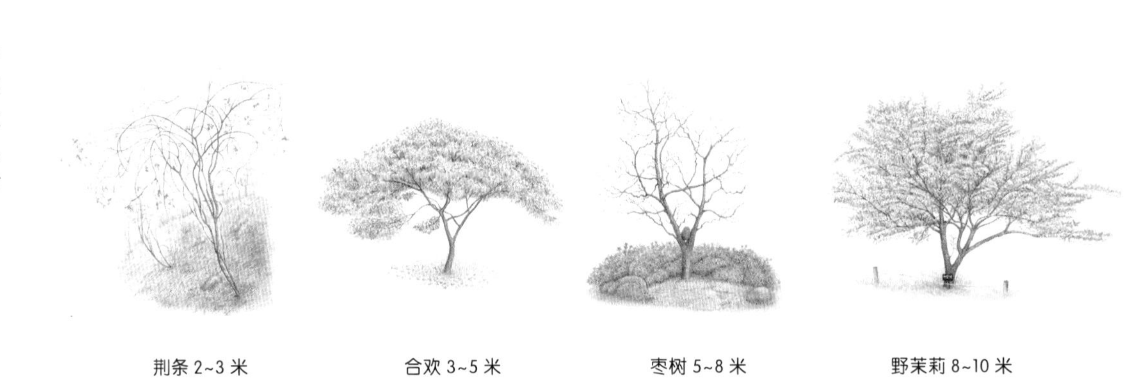

荆条 2~3 米　　合欢 3~5 米　　枣树 5~8 米　　野茉莉 8~10 米

乔木

指树身高大的树，有直立的主干，可高达数十米。“乔木”意为“高大的树”。

鸡爪槭 10 米　　花曲柳 10 米　　毛泡桐 15 米

东京樱花 10~12 米

垂柳 15~20 米

白桦 15~20 米

灯台树 20 米

枹栎 20~25 米

刺槐 25 米

榉树 20~30 米

一球悬玲木 40~50 米

银杏 15~60 米

可食植物

植物名	可食部分	常用名	成熟期	食用方法
艾草	叶子	艾草	4~5 月	嫩叶可做菜或煮汤，晒干研磨后可泡茶。
白菜	基生叶	白菜	10~11 月	炒食。
稗	种子	稗子	9 月	煮饭。
北黄花菜	叶子	北黄花菜	3~4 月	炒食。
荸荠	块茎	马蹄	秋季	生熟两吃。
菠菜	叶子	菠菜	11~3 月	凉拌或炒食。
菜豆	种子	四季豆	9~10 月	炒食。
菜椒	果实	菜椒	9 月	生熟两吃。
草莓	果实	草莓	6 月	熟至红透时采摘食用，也可做草莓酱。
插田泡	果实	插田泡	7~8 月	熟至变黑时采摘食用。
车前	叶子	车轮菜	3~4 月	凉拌，也可用来做煎饼。
橙	果实	橙子	秋季	切开食用。
赤松	花粉	松花粉	5 月	可与蜂蜜或糖和匀，做成茶点。
翅果菊	叶子	山莴苣	春季到初夏	凉拌或生吃。
垂盆草	叶和根	垂盆草	4~5 月	凉拌。
刺槐	花	洋槐花	5 月	榨油或做沙拉。
葱	叶子	大葱	10~5 月	可作调料，也可用来做煎饼。
酢浆草	叶子	酢浆草	4~9 月	凉拌或炒食。
大豆	种子	黄豆	9~10 月	可做豆酱、榨油或做豆浆。
大麦	种子	大麦	6~7 月	做饭或煮茶。
大蒜	鳞茎	大蒜	5~6 月	作调料或者用来做酱菜。
	叶子	蒜苗	春季	炒食。
东北红豆杉	假种皮	东北红豆杉	8~10 月	熟至变红、变软时可采摘食用。
东北堇菜	叶子	东北堇菜	3~4 月	凉拌。
东京樱花	果实	樱桃	5~6 月	熟至变黑时采摘食用。
冬葵	叶子	冬葵	5~6 月	煮汤。
番茄	果实	西红柿	6~8 月	熟至红透时采摘食用。
繁缕	嫩芽	繁缕	4 月	凉拌或炒食。
蜂斗菜	叶子	蜂斗菜	4~5 月	凉拌或炒食。
枹栎	果实	枹栎	9~10 月	去壳，放入面粉去涩味后，煮熟即可食用。
高粱	种子	高粱米	9~10 月	做饭或研磨后做糕。
葛	根	葛根	晚秋	研磨成粉后食用。
菰	种子	菰米	9 月	做饭。
桂竹	嫩芽	竹笋	5~6 月	凉拌或炒食。
汉拿峰柑橘	果实	汉拿峰柑橘	1~3 月	剥皮食用。
荷包牡丹	叶子	荷包牡丹	4 月	凉拌或晒干后炖汤。

植物名	可食部分	常用名	成熟期	食用方法
核桃	果实	核桃	9~10 月	去壳后食用。
红豆	种子	红豆	10 月	可放在大米里做成米饭，也可熬粥。
红薯	块根	地瓜	10~11 月	生熟两吃。
红松	种子	松子	9 月	去壳后食用。
红枣	果实	红枣	9~10 月	生熟两吃。
胡萝卜	根	红萝卜	秋、冬季	生熟两吃。
葫芦	果实	葫芦	7 月	嫩果可炒食。
槲寄生	叶和根	槲寄生	11~2 月	晒干泡茶。
花生	种子	花生	9~10 月	晒干剥壳后炒熟。
黄瓜	果实	黄瓜	5~9 月	生熟两吃。
鸡冠花	花	鸡冠花	7~8 月	花瓣磨汁，着色其他饮料。
芥菜	叶子	芥菜	11~2 月	腌制后食用。
金橘	果实	金橘	3~4 月	连皮一起食用。
韭菜	叶子	韭菜	5~8 月	炒食、做煎饼或做饺子馅。
桔梗	根	桔梗	9~11 月	去皮凉拌或炒食。
菊花	叶子	菊花	9~10 月	放在煎饼里同吃。
菊芋	块茎	洋姜	10~11 月	蒸煮至柔软食用或做腌菜。
橘	果实	橘子	11~12 月	剥皮食用。
君迁子	果实	黑枣	10~11 月	熟至变软时采摘食用，也可用来酿酒。
辣椒	果实	辣椒	8~10 月	青椒可佐餐，熟至红透的辣椒磨粉可作调料。
梨果仙人掌	果实	仙桃	冬季	榨汁或酿酒。
藜	叶子	藜	4~5 月	凉拌或炒食。
李	果实	李子	7 月	熟至红透时采摘食用。
栗	种子	栗子	9~10 月	去壳后食用，生熟两吃。
莲	根状茎	莲藕	7~9 月	炒食或做成糖藕。
	种子	莲蓬	9~10 月	去壳后食用，生熟两吃。
	叶子	莲叶	6 月	可晒干泡茶，也可用来包裹米饭做荷叶饭。
菱	果实	菱角	9 月	去壳后食用。
留兰香	叶子	香薄荷	7~9 月	新鲜叶子直接食用或晒干后泡茶。
龙葵	果实	龙葵	7~10 月	熟至黑透时可采摘食用，但不可多吃。
萝卜	根	萝卜	10 月	生熟两吃。
	叶子	萝卜叶	初春	凉拌或炒食。
萝藦	果实	萝藦	10 月	嫩果可食。
马铃薯	块茎	土豆	6~7 月	蒸煮或炒食。
杧果	果实	芒果	5~7 月	熟至变黄时采摘食用。
毛樱桃	果实	毛樱桃	6 月	熟至变红时采摘食用。
梅	果实	梅子	6 月	做成果脯，也可用来酿梅子酒。
猕猴桃	果实	猕猴桃	8~10 月	熟至变软时采摘食用。

植物名	可食部分	常用名	成熟期	食用方法
木瓜	果实	木瓜	9~10 月	熟至发黄时采摘食用。
木通	果实	八月瓜	7~9 月	切开后食用。
南瓜	果实	南瓜	7~8 月	蒸煮或炒食。
	叶子	南瓜叶	7~8 月	撕去叶片上的薄膜后炒食。
柠檬	果实	柠檬	11~12 月	榨汁可作调料，也可用来泡茶。
牛蒡	根	牛蒡	11~12 月	去皮后煮汤或炒食。
牛叠肚	果实	树莓	9~10 月	熟至变红时采摘食用。
苹果	果实	苹果	9~10 月	熟至红透时采摘食用，青苹果成熟后保持青色。
苹果杧	果实	苹果芒	9~10 月	熟至变红时采摘食用。
葡萄	果实	葡萄	8~10 月	熟至变黑时采摘食用，青葡萄成熟后保持绿色。
蒲公英	叶子	蒲公英	4~5 月	凉拌或炒食。
荠菜	叶子	荠菜	3~4 月	凉拌或做饺子馅。
茄子	果实	茄子	6~8 月	蒸煮或炒食。
秋子梨	果实	山梨	10 月	晚秋时采摘食用。
三色堇	花	三色堇	4~5 月	花瓣可做沙拉。
三桠乌药	花	三桠乌药	4 月	将花瓣晒干泡茶。
桑树	果实	桑葚	6~7 月	熟至变黑时采摘食用。
沙梨	果实	沙梨	9~10 月	熟至变黄时采摘食用。
山葵	根状茎	山葵	4~10 月	磨碎可做生鱼片蘸料。
山马兰	叶子	山马兰	3~4 月	凉拌。
山葡萄	果实	山葡萄	9~10 月	熟至变黑时采摘食用。
山楂	果实	山楂	9~10 月	晒干泡茶。
山茱萸	果实	山茱萸	9~10 月	晒干泡茶。
蛇莓	果实	蛇莓	6 月	熟至红透时采摘食用，但不可多吃。
生菜	叶子	生菜	4~7 月	凉拌或炒食。
生姜	根状茎	生姜	10~11 月	去皮磨碎后可作调料，也可用来泡茶。
石榴	果实	石榴	9~10 月	熟至变红时采摘食用。
柿	果实	柿子	9~10 月	熟至柔软时食用或去皮后晒干做柿饼。
	叶子	柿叶	5 月	嫩叶晒干泡茶。
水稻	种子	大米	8~10 月	煮熟做饭。
水芹	叶和茎	水芹	春、秋季	凉拌或炒食。
粟	种子	小米	9 月	煮熟做饭。
桃	果实	桃子	7~9 月	熟至变成粉红色或变软时采摘食用。
甜菜	根	甜菜	6~7 月	做沙拉或磨汁着色其他饮料。
甜瓜	果实	香瓜	7~8 月	初秋时采摘食用。
茼蒿	叶子	茼蒿	4~6 月	炒食。
豌豆	种子	豌豆	5~6 月	炒食或用来煮米饭。
无花果	果实	无花果	7~10 月	熟透可采摘。
五味子	果实	五味子	9~10 月	熟至变红时采摘食用，也可用来酿酒。

植物名	可食部分	常用名	成熟期	食用方法
西瓜	果实	西瓜	6~9 月	切开后食用。
香橙	果实	香橙	9~10 月	剥皮后浸渍糖液，用来泡茶。
向日葵	种子	向日葵	8~9 月	做瓜子或榨油。
小根蒜	叶和茎	小根蒜	3~4 月	炒食或腌制成酱菜。
小麦	种子	面粉	6 月	磨成面粉后做馒头或者面条。
杏	果实	杏	6~7 月	熟至变软时采摘食用。
旋花	叶和茎	旋花	9~11 月	凉拌或炒食。
羊乳	根	土党参	10~11 月	去皮后凉拌或蒸熟。
卷心菜	叶子	包菜	10~12 月	炒食或做泡菜。
洋葱	鳞片叶	洋葱	5~7 月	炒食。
野菊	花	野菊	9~10 月	晒干泡茶。
野蔷薇	芽	野蔷薇	5 月	嫩芽去皮后可食用。
一串红	花	一串红	5~10 月	用花瓣榨汁。
一年蓬	叶子	一年蓬	3~4 月	凉拌。
银杏	种子	白果	9~10 月	煎炸去壳后食用，但不可多吃。
油菜	种子	油菜籽	5~6 月	榨油。
	叶子	油菜叶	3~4 月	炒食。
玉兰	花	玉兰	3~4 月	晒干泡茶。
玉米	种子	玉米	8~9 月	蒸煮或烤熟，也可磨粉后做馒头或面条。
玉竹	根状茎	玉竹	7~9 月	凉拌或炒食，也可晒干泡茶。
芋	块茎	芋头	9~11 月	蒸熟后食用或蒸熟捣烂后做芋泥。
	叶柄	芋梗	7~8 月	炒食。
榛	种子	榛子	8~9 月	去壳后食用。
芝麻	种子	芝麻	9 月	榨油，也可做芝麻酱。
枳	果实	枸橘	9~11 月	熟至变黄时采摘，加糖腌渍后食用。
中华苦荬菜	叶子	苦菜	4~5 月	凉拌或炒食。
皱皮木瓜	果实	皱皮木瓜	9~10 月	熟至变黄时采摘，加糖腌渍后食用。
紫苏	种子	苏子	10 月	榨油，也可晒干泡茶。
	叶子	苏叶	5~9 月	凉拌或炒食，也可晒干泡茶。
菹草	叶和茎	菹菜	秋季到早春	凉拌或炒食。

索引

中文名称索引

英文名称索引

T

U

V

W

Y

Z